新潮文庫

ぐるりのこと

梨木香歩著

新潮社版

8218

ぐるりのこと　目次

ぐるりのこと

向こう側とこちら側、そしてどちらでもない場所

九州山地の外れの山に、小さい小屋を建ててから十数年になる。周囲には神話に出てくる山々もあり、深く切れ込んだ山襞《やまひだ》に添うようにしていくつもの村や集落が点在している。そういう風景が好きで、当てもなくくねくねとした細い道に車を走らせていると、万葉集や古事記に出てくる古人の名を冠した神社に出くわしたりする。鄙《ひな》びているが古代にはそれでも交通の要衝であり、重要な街道であったのだろう。たぶん、縄文の時代から。ろくろく舗装もされていない、ウサギやキジが側道の大きな羊歯《しだ》の藪《やぶ》から飛びだしてくるような、しんとした古道であるけれど、新しく造成されたまっすぐな道にはない威厳と風格がある。楠《くすのき》や樫《かし》の木のがっしりした古木。風化しかけ、苔《こけ》むした石垣。そういうほの暗い緑陰が続くところに、ふと忘れられたように人家がぽつんとあったりする。山間《やまあい》の古道の風景は、スコットランドやアイルランドもよく似ている。誰か住んでいるのには間違いないのに、人の気配が感じられない。広くとった前庭を鶏が歩く。威嚇《いかく》するように雄鶏《おんどり》が鳴く。家の敷地分だけぽっかりと空いた空に向かって、その声が深く高く響いていく。

時々用事があると山を下り車で四十分ほどかけて「町」へ行く。あまり人の歩いていない町だが、その地方の有名なデパートの支店があるので、ちょっとしたものは揃《そろ》うのだ。

ところでその年の夏はどこのデパートに行っても、カラフルな硝子《ガラス》細工のネックレスやイヤリングなどが天上の花畑のようにアクセサリー売り場に陳列されていた。まるで色とりどりのゼリーを結晶化させたような美しさだった。たぶん同じ会社か、同じデザイナーの手になるものだったのか、今までにない独特の透明感と華やかさがあった。その小さな町は山脈《やまなみ》の端っこが途切れて小さな平野になったところにあったので、周囲には山々が迫っている。そういう町の、小さな百貨店にも、やはり本店からの連絡が密なのだろう、都会と同じような流行のそのアクセサリー群が入り口を入ってすぐの売り場を飾っていた。私は隣の陳列棚でスカーフを見ていた。九州で、しかも夏とはいえ、標高の高い私の山小屋辺りは時に半袖《はんそで》では寒くなるのだった。私の立っていた場所からフロアに客はほとんど見えなかった。そこへ入り口から二人連れとおぼしき客が入ってきた。二人の姿もやはり見えないが、連れの一人の明らかに息を呑《の》む音が聞こえた。

──まあ、二郎ちゃん、見てみなさいよ、なんてきれいなんでしょう！　まあ！　まあ！

年輩の女性の声だった。「二郎ちゃん」は盆休みで都会から帰ってきた彼女の息子か甥《おい》に当たるのだろう、二人の気配にはそんなニュアンスがあった。女性の声は柔らかく優しく、文字で書くと方言の香りが消えてしまうが、イントネーションは明らかにその地方独特のもの、しかも私が秘《ひそ》かに「家刀自《いえとじ》の言葉の響き」と呼んでいる慎《つつ》ましい奥深さがあった。その、三つ編みの女学生をそのままで歳《とし》をとらせたようにも聞こえる声で、女性は感嘆詞をいくつも並べ、うっとりとその比類なき美しさについて、滔々《とうとう》と呟《つぶや》き続けるのだった。

聞いていて、私はその場を動けなくなった。白状すると、女性の「心からの感嘆」に打たれていたのだ。私ときたら、初めてあの美しいアクセサリーたちを見たとき感じた思いに、今に至るまで、きちんとした言語化の手間をかけてやることすらしないできたのだった。自分の感動に等級を付けて意識せず軽んじていたのだった。

──きれいな宝石！　まあ、あれを見てご覧、二郎ちゃん……。

「二郎ちゃん」は明らかに居心地が悪そうだった。棚の向こうにいるらしい客は（私のことだ）なんだか自分たちの方に聞き耳を立てているようだし……。ばつの悪そうな小さな声でその女性に何か素っ気なく言い放ち、足早にその場を去っていった。女性は、目を丸くして（こちら側からはもちろん見えないのだけれどそういう声だったのだ）、

——まあ！　なんて子だろう、二郎ちゃんたら。こんなきれいなものが宝石じゃないなんて。こんな、美しいものが！　宝石でないはずが、あるもんかね！　これがわからんなんて。まあ、まあ！　なんて子になってしまったんだろうねえ……。

と、ひとしきり驚き嘆き、それからまたうっとりした声で、

——本当にきれいだ、ああ、今日は素晴らしいものを見た！

と呟き、「二郎ちゃん」の後を追っていった。

「二郎ちゃん」、あんたは間違っている。ああ本当に「二郎ちゃん」、あんたはなんて子になってしまったんだ、と、私はそのとき（私の中にもいる）「二郎ちゃん」を蹴《け》散《ち》らして、厳然たる境界の向こうのその女性に走り寄って、本当にきれいです、本当に、きれいですよね、と言いたかった。けれど、彼女と「二郎ちゃん」は、陳列棚という境界の向こうの世界におり、私はそれを乗り越えてゆく勇気がなかったのだった。きっと、あの山間の集落の、端正なたたずまいの家々の一つからいらした人々だったのだろう。

人前で感動したりしかも声を挙げて感動したりすることをつい警戒してしまうのは、たぶんその瞬間自分の心の核のようなものが境界の廻《めぐ》りをなくし、無防備になるのを恐れるからだ。大事なものが何の構えもなくさらされてしまう、という。正体を読まれることに怖気《おじけ》づいているのだ。結局のところ小心者なのだ。けれど、逆に言えば、このことは何かのヒントになるのではないだろうか。つまり、共感する、心の底から深く理解した（ように思う）という感動は、文化的歴史的バックグラウンドの全く違う相手との間の心理的境界を、構えを、取り去ることを可能にするのではないだろうか。

その山小屋は一応「別荘地」扱いの場所にあるので、隣との境界もアバウトだ。敷地の上の方の道路際《ぎわ》に杭《くい》が打ってあり、そこから下の道路の際に打たれた杭までまっすぐ引かれた（実際には何も引いていないし今のところ何も敷いていない）線が隣家との境界である。おとなりはいろいろとセンスのいい人たちなのだけれど、あまり人付き合いはお好きではないようで、挨拶《あいさつ》をする機会もたまにしかない。もともと、お互いがそこに滞在する日がほとんど重ならないこともある。

一昨年だったか、久しぶりで友人と山小屋に行ったときのこと。庭に出ていた友人が、首をひねりながら小屋に入ってきた。隣家がその庭を耕していて、耕作地が随分うちの敷地の方に入ってきているのだという。耕した勢いでうっかりなさったのだろうと言いつつも、なんだか厄介なことが起こりそうな予感がして、後回しにしていたのだが、嫌々外に出て確かめてみるとなるほど境界とおぼしきところから明らかに数メートルはこちら側に来ていて、花壇の縁の煉瓦《れんが》のように、耕作の労を執ったところを細い丸太で囲い込んである。うーん。開拓民のお気持ちなのかな？　実はこれまでにもいろいろ境界についてはあったのだ。私がいないときに、友人が草を刈っていると、隣人が急に出てこられてそれ以上こっちを刈らないでくれ、といわれた、とか。――でもその辺りは明らかにこちら側の敷地なのよ、と友人は解《げ》せぬふう。友人は私のためにその場は事を荒立てずにおいたが、やはり釈然としない気持ちを遠回しに解決しようとしたらしく、後日、その隣人と偶然出くわしたときに（友人は遠方に住む私の代わりに時々小屋に行ってくれている）、――あのう、私よく知らないんですけれど、どういうふうに境界は決められているんでしょう？　と、下手に出て丁寧に聞いたのだとか。

――そのときはね、この杭から向こうの杭までです、ってはっきりおっしゃったので、ああ、わかってるんだな、ってほっとしたんだけれど……。どうも、それがよくなかったんだろうか。世間知らずの馬鹿《ばか》みたいに思われてしまったんだろうか。そういうことはいろいろとあったにしろ、私は隣人が、鳥の巣箱をかけようと苦心しているのを見たこともあるし、家の周りに見事なハーブ畑をこさえているのも見てきているので、自分勝手に趣味の合う人に違いない、と思いこんできた。まあ、小さなごたごたがあっても、いつかきちんと話せば分かり合えるだろう、と楽観していたのだった。そういう私の「趣味の合う人＝自分と同じ＝いい人」（二番目のイコールはさすがに我ながらすごいと思うが）という幼児の時分から使っていた単純かつ独善的対人分類法がいよいよ馬脚を現すときが来たのだろうか。このものさしも、そろそろつかいものにならなくなったかな、とは最近漠然と気が付きつつあったのだけれど。世の中は私が考えているよりもやっぱりもう少し複雑らしい。この辺でようやく、現実を直視し、次のレベルアップした社会性を獲得しようとする決意が固まり始めてきた。

隣の家には鎧戸《よろいど》が下りている。友人と二人で、下手の杭の方を、念のため見に行くと、何と杭がない！ まさか、と顔を見合わせてその辺りを探ると、草やら土やら大枝小枝、すっかり薮のように覆《おお》われていた場所の、ずっと底の方にどうやら杭らしいものが隠れているのが見えた。うーん。これはどうみても人為的なものだ、と、さすがにものぐさの私も（新・社会性獲得モードに入っていたので）すぐに管理事務所に電話した。ここの管理事務所はいつもとても温かく親切なので、こんなトラブルを報告するのも気が引けるほどなのだが、私がみなまでいわないうちにすぐに――ええ、お宅の方まで大分きていますよね、と、そのことはずっと考えていたのです、といわんばかりの口調で、――すぐ行きます。と、本当にすぐ来てくださって、あっという間に丸太を撤去、それから人工藪を取り払い、杭の在処《ありか》を明らかにし、更に三角の赤い旗までたててくださった。

――これで向こうもおわかりになるでしょう。

さすがにお隣のことを悪くは言わないが、私たちのために少し憤慨し、かつ困ってくださっている風情《ふぜい》があって、友人共々とても慰められたのだった。

これに懲《こ》りてその後境界をきちんとしたかというと、それが相変わらずで、数十センチほどこちらに出たところに今度は苗木が植えられていたり、何やかやとホットラインはにぎやかなのだが、結局まあ、数十センチほどのところは放っておいている。草を抜きながらうーん、と眺めつつ、判断を保留にしたまま、日々が過ぎてゆく。向こう側とこちら側。その境界線。はっきりとさせない緩衝地帯。もっとスマートな解決策がどこかにある予感がして、でもそれが何かまだ分からずにいる。

昨年から今年にかけて、不審船騒ぎで世間がかしましかった。国籍不明の船を海上保安庁の巡視船が追跡、奄美《あまみ》大島沖の、日中ともに中国側の排他的経済水域と認めている東シナ海海域で銃撃戦の末、沈没させた。日本側はこの不審船の追跡に巡視船や護衛艦二十隻《せき》以上、航空機十四機を出動させた。そして自国の領海外まで追いかけていって銃撃戦までやったのだった。ああ、日本もここまで来たのかと、二百年ほど前の外国籍船侵入事件を思い、複雑な思いがした。

一八〇八年、未だ鎖国の時代の長崎港に、英国の軍艦フェートン号がオランダ船に偽装して侵入してきた。オランダ商館員を入質にし、水や食料、燃料を要求、要求に応じない場合は港に停泊する船舶、及び市中を焼き払うと脅した。長崎奉行は苦悶《くもん》の末、要求に応じ、フェートン号は二日後出港する。

当時長崎警護の当番藩だった佐賀藩は、内政が混乱していたこともあって常駐させているはずの兵がほとんど現場にいなかった。時の長崎奉行は責任を取り、自害した。遺書では国元からの援軍が遅れていたことに憤《いきどお》ってもいたらしいが、大砲や銃を装備していたフェートン号と戦っても、勝敗は目に見えていたし、なまじこちらに兵力の備えがあったら長崎の町は焦土と化していただろう。しかし当時の武士の価値観からすれば（特に彼らが葉隠《はがくれ》的ファナティシズムをどこかに潜在させていたとすれば）、停泊中、他国の軍船が国旗（このときはユニオン・ジャック）を掲げ、ボートで悠々と湾内を偵察し、要求通りの食料等をごっそりとせしめた後、堂々と出港したことを（一矢《いっし》も報いずみすみす）許したのは大変な屈辱だったに違いない。自害は憤死に近いものだっただろう。関係者にとってこの一件が恥辱にまみれたものだったろうことは想像に難くない。当事者たちは勇壮でもないし、雄々しくもない。時代の美意識には決定的に外れる。外交的にも、見事だったとは決していえない。けれど、結果的には長崎の町は焦土にもならず、この事件はのちの生麦事件ほど有名になることもなかった。つまり歴史に大きく名を残さない、民にとっては一番いい解決方法だったわけだ。

もしかしたら、このときの当事者の苦悩の過程には、何か、今、私たちが抱えている局面を次の次元に打開させるときのヒントがあるのではないだろうか。そしてそれをもっと洗練させていくような方向性は見いだせないだろうか。

なんだか最近、欧米型の押しの強い生き方こそが生命力の証《あかし》であるかのような、そして対人関係の場で隙《すき》あらば優位に立とうとする抜け目のなさが優秀な遺伝子のひとつでもあるかのような、錯覚を持つことがあるけれど。

日本人は対決場面が苦手、とよく言われる（突然逆上してヒステリックな攻撃に転じることも同じ）。それがとても情けない欠点で、きちんとした自我を確立することが日本人の大きな課題のように言われてきたし、私自身わが身を省みてしみじみそうだ、とうなだれることが多いのだが、和をもって尊しとなす、という私たちの骨身に染《し》みついていたはずの古代からの美徳を、もう一度リニューアルする気で考えてみたい。

もちろん、並行して「自我の確立」を試みることも可能だろう。気を付けないといけないのは、すでに遺伝子レベルで馴染《なじ》んだ資質と違って、後から学習して身につけたものは、ことさら不格好でがんじがらめの鎧のようになって、それ自体が主張して扱いに困りがちになることだ。けれどそうなったってそれを御する方法がないわけじゃない。確かに大変だけれど、工夫する価値があるものだ。完璧《かんぺき》は無理、かもしれないけれど。

主義も思想も価値観も違う相手に、文字通りの水際でどう対応するか。当事者には当事者のいかんともしがたい歴史と事情がある。それはそれでそれぞれの物語だ。利害がぶつかる。まったく理不尽に思える攻撃が加えられる。それでも、結局はこちらに相手の、または相手にこちらの、物語を、胸を開いて分かろうとする姿勢のあるなしが交渉の重要な鍵《かぎ》を握る。本当の駆け引きは、そこから始まる。相手にも歩み寄ってもらわねばならない。そういうふうに流れをもってゆく。自分の土俵に引きずり込む、のとは似て非なるやりかたで。まったく共感が持てないように思えた相手側の思考回路にも、変容していってもらわねばならない。それは相手側の物語の中で自然に発生してゆく変化でなくてはならない。強者が力ずくで、という形は何としてでも避けたい。そうでなくては「恨み」が残る。

フェートン号と不審船、二つの事件の間に二百年の時が流れている。猛々《たけだけ》しい生き方はいやだ。かといって卑屈になるのももっといやだ。

英国でお世話になったウェスト夫人は、この境界ということに私以上にアバウトな人だった。昔は彼女の下宿の玄関はいつも鍵がかかっていなかった。日本でいう、アパートの感覚かというと、そうではない、明らかに彼女は下宿人は家族、という意識で、それが証拠に多いときで下宿人は二、三人いたが、どの部屋にも鍵がなかった。私のいた部屋など、戸がしっかり閉まりもしなかった。古い英国の家は不器用にペンキが塗り重ねてあって、ドアがきっちり閉まらない部屋が多い。鍵穴だけはそれぞれのドアについているのだが、肝心の鍵がないのだ（あったのかもしれないが、いや、もしかすると今もあるのかもしれないが、あの家では見たことがなかった）。それなら、下宿人を厳選しているのかといえば、それは彼女なりの選別法はあったのだろうが、刑務所を出所したてで行く当てのない殺人犯（もちろん全員がそうではない、過去に一人か、もしかすると二人）を筆頭に、決して品行方正とはいえない下宿人だって多数いた。殺人犯を迎えていた当時は彼女の家にはまだ十代の娘たちがいたはずだから、無謀といって責められても仕方のないことだと思うが、なぜか奇跡的に彼女の周辺に禍々《まがまが》しい事は起こらなかった（珍騒動は数知れずあったが）。

徹底した光の人だった。児童文学作家だったが、それは彼女の作品にも現れていて、どの本も、ここまで徹底するか、と思われるぐらいの向日性で光り輝いており、現代ではすっかりアウト・オブ・デイトになってしまった。絶版で手に入らない。

——僕たちはいいけどさ。

と、古くからの友人で、彼女の子どもたちといっしょにあの家で育ったようなエマニュエルは去年のクリスマス、キッチンで二人きりになったとき言った。

——サラやアンディ、ビルたちには大変なことだったんだよ。家の中があまりにもオープンでさ。思春期を迎える子どもたちに必要なだけのセキュリティを確保できただろうか。

確かに、そうかもしれない。ウェスト夫人の「善なる存在感」といったものは絶大で、その光は遍《あまね》くあの家に充《み》ち満ちているように思うけれど、小さな子どもたちにとって、生活習慣や価値観も違う異人種が闊歩《かっぽ》する家の中の居心地がどうであったかといえば、まあ、楽しいことばかりではなかっただろう。彼らがインド人のグルについてカリフォルニアに旅立ってしまったのも、インド人のグルというのは単なるきっかけで（その後も彼らが熱心な信者だとは聞かないし）、家の中に居場所がなかった、ということかもしれなかった。ウェスト夫人自身そのことには深く傷ついていた。しかし彼女には彼女の生き方を違《たが》えることはできない。それは彼女の生そのものだったから。

年老いてよぼよぼになったベルベットという黒猫が、家の中のあちこちに粗相するのを後始末しながら彼女が呟《つぶや》いたことがある。

——ベルベットはちっとも懐《なつ》かないし、世話ばかりかかるけれど、私には必要みたいなの。ナイジェリアンたち（ウェスト夫人の知り合いで、あまりの誇り高さに回りと協調するのが難しい一家）もそう。メアリ（ウェスト夫人の妹でユング派の分析家）は、初めてこの家に来たとき、開口一番、「まあ、なんて真っ白なの。あんまり清潔すぎて子どもたちは弾《はじ》き飛ばされちゃうわよ。この家には黒いものが必要だわ」

って言ったわ。

もちろん、口ではぼやきながらも、彼女がナイジェリアンたちを身内のように愛しているのは知っているし、とても彼女がそういう理由で彼らによくしているとは思えなかったが、彼女なりの（バランスをとろうとする）努力もあったことは事実だろう。いつも明るい彼女だが、私は五十年以上英国に住んでいるけれど、英国人にとっては私は相変わらず外のアメリカ人なの、と、呟くこともある。

アメリカ大陸の国々の家は、あまり塀などはたてない。境界は曖昧《あいまい》なことが多い。そうしておいて、家の中ではしっかりと銃で武装したりする。まるで、彼らの心のあり方のようだ。

その点ウェスト夫人は典型的なアメリカ人でもなければ英国人でもない。ウェスト夫人はウェスト夫人だ。本当に、こちらがあきれかえるほど無防備で、彼女の家の中にはどこまでもどこまでも入っていける。そして彼女の心の一番奥にはドアがあって、きっとそこさえ、礼儀正しくノックすれば彼女はいつでも子どものような笑顔でハーイ、と招き入れてくれるのだ。

何という強さだろうと思う。

日本は西洋には属さない。アジアの中で、かつて歴史になかったほど西洋に近づいた一国だ。現在進行形で変わりゆくこの国の可能性を信じ続けたい。モデルはどこにもない。

境界を行き来する

米国人の知人と、セブンシスターズの断崖《だんがい》を散策したことがある。ドーバーのホワイトクリフの延長にあり、同じように白い断崖がそびえ立っている場所だ。

初夏の午後、北方の国特有の弱い陽射《ひざ》しが、草原の上に透明感のある不思議な輝きを投げかけていた。ブライトンから海岸沿いに車を走らせ、数台の車が止まっている、広場のような場所に停めた。後で知ったがもっと断崖に近い駐車場があったようで、結局私たちはそこから二時間以上登ったような気がする。

車を停めた周囲には、観光客を見込んでいるとも思えないのに（実際私たちのほかひと気はなかった）、アイスクリーム売りのワゴンだけが、ぽつんと置き忘れられたかのように止まっている。売り子は椅子《いす》に座って本を読んでいるらしい。私は一人先に歩いて、小さな小屋の裏手に立ち、川か池かわからない流れの穏やかな水辺に、カモが家族連れでゆったり泳いでいるのを見ている。連れがアイスクリームを買ってきて、一つを私に渡す。さあ、これからどっちだろう。たぶんあっちだと思うけれど。私はおおざっぱな地図を見ながら海に突き出た左手の丘を指す。私たちはアイスクリームを片手にぶらぶらと歩き始める。ねえ、これこそがまさに私の天国のイメージよ、と連れは満足そうに言う。海、川、水鳥、草原、そして手のひらにはアイスクリーム。それはいかにもアメリカっぽいなあ、アイスクリームが出てくるところが。私の天国にはアイスクリームなんてないなあ。じゃあ、あなたの天国はどんなの。改めて聞かれて、私は自分が具体的な天国イメージをもっていないことに気づく。そこはね、場所というよりも、状態、かなあ、私の場合。穏やかな、心の、状態。とりあえずそう言いつくろう。小屋を回りきると、すぐそこが海だというのに、入り江になっているせいだろうか、ざわざわと膝丈《ひざたけ》以上のイネ科の草で、一面埋め尽くされている。風が吹くと、その跡の通りになびいてゆく。起伏のない草原を、穏やかな、まるで細長い池のような川が大きく蛇行しながら海に向かって延びている。やはり、これは池でなく川。水鳥の群れが眠たそうに泳いでいる。行きたい方向はこの川を突っ切った先、高い丘になっている岬の突端だ。そこで地面は突然切れているはず。川に沿って陸地側へ後戻りしながら、何とか浅瀬の、飛び石がおいてある場所を見つけ、向こう側に渡る。そして丘を登ってゆくと見える小径《こみち》に辿《たど》り着く。草や灌木《かんぼく》に中途半端《はんぱ》に隠れているが土手には穴がいっぱいだ。何かの、動物？　それとも戦争の時の砲弾の跡？　連れと私は首をひねりながら歩を進める。

雲一つない晴天。けれど、現実に歩いているそのときから、すでにノスタルジックなセピア色が風景から浸《し》み出していた。英国の夏の午後は時間が止まったような不思議な明るさに満ちている。まるで永遠にこのときが続くかのように。夜というものなど、未《いま》だかつて世界は経験したことがないかのように。

すぐにでも、丘の頂上に登り着く気がしていたが、なだらかな起伏を描きながらどこまでもうねった道は続き、小馬の群れが見え始めた。もちろん柵《さく》がしてある。道はそこでストップしているかのように見えるが、英国にはフットパスと呼ばれる自然遊歩道の伝統があって、私有地で柵がしてあっても、必ず踏み越し段があり、そこを乗り越えて進めるようになっている。で、そのときもそうした。立て看板のようなものがあって、その小馬がシェトランド種のポニーであり、ある個人がシェトランド諸島からとりよせてそこで飼っているとのこと、小馬は群れであちらこちらしているが、ここが水飲み場なので○時、△時にはここへくる、というようなことが書いてあった。水がパイプのようなものを伝って、中をくりぬかれた大きな丸太の中へ注がれている。湧《わ》き水かどうか分からない。水道水とも思いにくい。そのときは確か○時でも△時でもなかったように思うが、とにかくかわいい小馬が見られてよかった。中の一頭が、こちらを不思議そうに見つめている。黒く濡《ぬ》れたような大きな瞳《ひとみ》は、馬というより、牛のそれを思わせる。故郷を遠く離れて、こんな南に連れてこられてしまった小馬。

羊は例によっていたるところにいた。連れが時々、羊に話しかける。バーウ。文字で書くとこんなものだが、喉《のど》の奥を震わせて、たいそう迫力のある声だ。より正確に言うと、バハハウ。羊もそれに応《こた》える。バーウ。バハハウ。子羊は、さすがにメーエと聞こえる。

しばらく行くと羊たちのテリトリーを過ぎたらしく、灌木の向こうからウサギの群れが出たり引っ込んだりしている。小さくてかわいい。ラビットだね、ヘアじゃないね、と連れがささやく。そうだね、小さいね。

向こうから下りてくる人に会う。何も持たず、ごく近所を散歩しているといった風の、ポール・サイモンをもっと隠者風にした印象だったが、断崖までどのくらいかかる？　という問いに、気さくに、あと四十分ぐらいかな、と応じ、よく散歩にいらっしゃるんですか、という、連れの、いかにも米国人らしいこれまた気さくな問いにも気軽に、少なくとも週に一度は。独りでこの辺をぶらつくのが好きなんだ。この辺は特別さ。他にこんな所はないよ。彼は微笑《ほほえ》むでもなく、気分を害した風でもなく、ごく真面目《まじめ》な顔で辺りを再検証するように見渡して続ける。不思議な静けさに満ちていて、それでいて開かれている。その的確な表現に思わず深くうなずく。本当にそうですね、どうもありがとう。My pleasure.
静けさに満ちていて、それでいて開かれている、というのは、まったく今の人の在り方そのものみたいにみえた。そういうと、連れは、ああ、本当、そうだわね。ねえ、私たちきっと、もう一生彼に会うことはないでしょう、それなのに、こうして一瞬の出会いで彼の人生を味わわせてもらったような気がする。
上に行くに従って風が強くなる。灌木が風になびき、光線のセピア色がかった風景の中を、帽子を押さえながら歩いて行く連れを見ていると、古い洋画を見ているようだ。ついに頂上、というか一番上の野原まで辿り着いた。思わず声が出る。一面の草原。そしてそれが突然切れて、その向こうは海。ドーバー海峡。フランスからの船が見える。セブンシスターズっていう名前は、サクソンの伝説か何かから取ったのだろうかって思っていたけれど。私が言うと、連れもにっこり笑ってその後を続ける。これでわかったよね。見たら一目瞭然《いちもくりょうぜん》ね。白い断崖が七つ、せり出しているのだ。アイルランドのモハーの断崖を思わせたが、荘重なイメージのあるそれより、ずっと明るく軽やかで、でもやはりどこかもの悲しいのは同じだった。
ぐるりと見渡していた連れが、低い、満足そうな声で、サウス・ダウンズ！　と呟く。内陸部には、イングランド独特の美しい丘陵地帯が、柔らかい光に輝いた、緑のうねりを見せながら拡《ひろ》がっていた。この丘陵は、この、私たちの足許《あしもと》まで緩やかに拡がって、そしてここを境に、すっぱりと切れているのだった。

突然連れが、しいっ、と立ち止まる。不審に思って前方を見ると、ずっと先の方の、断崖すれすれのところで、男性が一人、座禅を組んで瞑想《めいそう》している。日に焼けたブロンドの長い髪を、後ろで束ねている、痩《や》せぎすの修行者といった風貌《ふうぼう》、いかにもこういう姿が似つかわしい。私たちは二人とも、こういうことに敬意を払う性質《たち》なので、あまりはしゃがないように自粛する。

私は持参してきた敷物——表がチェックの毛織りで、裏が防水のラバー引き——を敷いて、連れと二人、お茶を飲みながらぼんやりとフランスの方を眺める。それから一人立ち上がり、断崖に近づき、はいつくばるようにして、下をのぞき込む。落とした小石が吸い込まれてゆく。下の方はカモメが舞っているだけで、波打ち際《ぎわ》までとても見えない。手に汗が出てくる。やめなさいよ、危険よ、年に何センチかずつ、後退しているのよ、と、連れが警告する。

そのとき、件《くだん》の彼が座禅をやめて、帰り支度を始めた。彼が私たちの近くを通りかかったとき、私のアメリカ人は、これまた気軽に、メディテーション？　と声をかける。彼ははにかんだようにうなずく。すごい場所でやるのね。ああ、自分を、向こう側に、開くんだ。この、今日二回目の「開く」という言葉に、連れと私は顔を見合わせる。さっき、すれ違った人も、この景色について、同じような言葉を使ったわ。ふうん、そう。彼は礼儀正しく少し驚いた顔をしたが、大してびっくりしたようには思えなかった。

いよいよ誰もいなくなった。連れは敷物の上に寝転がり、いつまでも空を見ている。私は断崖を見つめている。

境界が、こんなにもはっきりしている。その事実がこんなに目の前ではっきり迫っている、そのことが、こちら側の人間の間の連帯のようなものを強くするのだろうか。さっき去った彼のことを、分かるように思う、というのは。

向こう側に、自分を開いていく、訓練。

この境界の向こうは異世界だ。こんな風に圧倒的に迫ってきたら、自衛本能でこちら側に萎縮《いしゆく》してしまう。私はぼんやり考え続けている。それを乗り越えて、意識的に自分を開く訓練について。それから、どういうわけか、さっきのシェトランド種のポニーの、牛のような瞳のことを。故郷を遠く離れて連れてこられた——牛のような——。

そうだ。ローザだ。

以前、経済学者でもあり、ドイツ革命の急進的な推進派だった、ローザ・ルクセンブルクのことを調べたことがある。各地で行った彼女の党大会での演説を、臨場感あふれる議事録で読んでいると、その熱情から繰り出される論調と、いかなるヤジ等にも一歩も退《ひ》かない激しさから、なんだか自分とは随分遠い攻撃的な人のように漠然と思っていたのだが、その後彼女の獄中からの手紙を読んで、少し、彼女について分かったような気がしたものだった。あの、他に類を見ない不屈の闘志の、生まれてくる場所、等が。

書簡集の中では、彼女は幼なじみに向けて、共有した生活体験のあれこれや、詩や小説のことについて実に楽しそうに細やかに語っていた。散歩中に目を留めた木々や植物の名前、それから獄中から聞こえる鳥の鳴き声やその生態などについて、かなり意識的に蒐集《しゅうしゅう》しなければ集まらないような知識を披瀝《ひれき》している。かなり意識的に、と書いたが、要するに、好きでたまらない、ということだ。自分が好きな対象についての言及は、つい、何を読んでいても目に留まり、また人の口の端《は》にそれが上ると注意して聞いてしまう。そうやって、自然と集まってくるような知識――専門的な研究でなく――そういう雑学めいた知識と、それから愛情。ごく自然に台所に立ったり、友人を訪ねたり、散歩道の花マップを作ったり、鳥の習性について観察したり、そういう日常に熱情といっていいほどの愛情を注げる人だったのだ。あの、反戦のために費やした彼女の厖大《ぼうだい》なエネルギーの源泉は、ここなのだった。
獄中にあっても監房の外の散歩は許されたようで、彼女はある日、軍用に使役されている水牛たちに出会う。その水牛は、もともとルーマニアの野を自由奔放に駆けめぐっていたのだが、戦利品としてドイツに連れてこられ、むごたらしくむち打たれながら、過酷な労働に息も絶え絶え、という有様だった。この「故郷を遠く離れて連れてこられた」牛の瞳に出会ったときの彼女のリアクションで、私は彼女の核心に触れたような気持ちになったのだった。

……ソニチュカ、野牛の皮はそれこそほんとに厚くて強靭《きょうじん》なものですのに、それが破れたのです。獣たちはそれから荷下ろしのあいだじゅう、つかれきった様子でじっと立っていました。そして血の出た一頭はじっとまえのほうをみつめ、黒いかおと柔和な黒い眼に泣きはらしたこどものような表情を浮かべていました。それは、ひどい折檻《せっかん》をうけたけれども、それが何のためなのか、なぜなのかがわからない、またどうしたらこの苦痛とこの野蛮な暴行からのがれることができるのかがわからない、そういうこどもそっくりの表情でした……わたしはそのまえに立ち、その獣はわたしをながめ、わたしの眼からはなみだがながれおちました――それはその獣の涙だったのです。(中略)……ああ、わたしのかわいそうな野牛、わたしのかわいそうな愛する兄弟、わたしたちはふたりともここにこんなにも無力にぼんやりと立っている、そしてどちらもただかなしみにとざされ、なんの力もなく、ねがいだけははげしく心にみちて。

――『ローザ・ルクセンブルクの手紙』北郷隆五訳

民衆の苦しみに対して、すさまじいぐらいの共感能力をもっていた人だったのだろう。

彼女はしかし、最後には虐殺《ぎゃくさつ》され、川に投げ捨てられ、数ヶ月後、橋のたもとで死《し》骸《がい》が発見される。

その生き方を情緒的に訴えて、ここで新たな共感を強要するのはフェアじゃない、と思うけれど、ローザの闘志、つまり人間の持つ攻撃性がこのようなヴァリエーションの強靭な形を取りうるというのは、私には確かに福音でもある。深い闇《やみ》に輝く、宝石のようだと思う。

けれど、もしかしたらこのときは、自分自身の不遇と運命がその「牛の瞳」に象徴的に重なったために、たまたま彼女の中で強い情動が働いた、ということなのかもしれない（もちろん、共感とは大抵のところ、相手を自分に引き寄せて発生させるもので、その手順としてはまちがっていないのだけれど）。

その場合は、彼女が、「自分の境界の向こうとリンクした」、とは言えないだろう。

そして私には、献身的なキリスト者の社会活動も、この境界を越えた故《ゆえ》のものとは思えないのだ。それは境界を（教会にあらず）とても効果的に利用して（神の愛を知っている「こちら側」の私が、未だそれを知らない、または十分には知らない「向こう側」のあなたに施す、という慈悲の図式をつくりだし）、大衆を奉仕活動に導く、善行を促す、賢い方法だったと思う。けれど、それは境界（を越えようと努力せず）のこちら側で自己完結しているために、日常の意識レベルの改革としてはやはり根本的なものではなかったのだ。もちろん、個々のレベルではそれを越えた人々もいたに違いないけれど。

「共感する」というのは大事なことだ。が、それはあくまで「自分」の域を出ない。自分の側に相手の体験を受け止められる経験の蓄積があり、なおかつそれが揺り動かされるだけの強い情動が生じなければ働かないのだ。

そこまでが前世紀の限界だった。なんとかかんとか本能をなだめなだめして、人は他者に共感しようと努めてきたし、キリスト教は博愛を謳《うた》ってきた。それもある程度は機能してきたが、やはり付け焼き刃でやってきたので、相変わらずの戦争では（大昔の十字軍もしかり）、略奪虐殺強姦《ごうかん》と、私たちの精神レベルが結局数千年前から大して進化のないことをあからさまに示し続けてきたのだった。

風の強い断崖《だんがい》の上の草原。連れの横で、私も横になり、空を見ている。カモメがすうっと断崖の下の方から気流に乗って上がってくる。気流に乗る、というのはきっと、コツさえ摑《つか》めばたいそう心地よいものに違いない。カモメは羽ばたきもせず羽を固定させたままグライダーのように僅《わず》かに体を傾け、舵《かじ》をきる。そこへ鳶《トビ》が同じように気流に乗ってやってくる。少し緊張が走る。彼らの間には高低差もあったが、うまく僅かな気流の違いに乗じて弧を描くようにして距離を取る。

そうそう、全く自分がああいうふうに鳥になったかのような錯覚を覚える、不思議な作品を読んだことがあった。ある小鳥の誕生から死までが、その鳥自身で語られる。（『かもめのジョナサン』ではない。ああいう作為のある擬人化の手法ではない。そうではなく)、純粋に、鳥が自分の生活を、語る。まるでレポートでも読み上げるように、鳥としての本能が自分を突き動かす様を、遺伝子が自分を導く巧妙さを、淡々と述べていくのだ。その視座の、何とも不思議な在り方に、最初眩暈《めまい》がしそうだった。鳥の本能なんて世界に、言語が入り込むことが可能なのだろうか。それこそ「境界の向こう側」の世界ではないか?

遠くで鳶が鳴いている。いつの間にか鳶は彼方《かなた》に去ってしまっていた。カモメはまだ上空を舞っている。

それは不思議な「方法」だった、その鳥の叙述は。鳥そのものであり、また鳥を超えているものでもあった(まったくの「鳥そのもの」に言語表現は期待できない)。それは境界の向こうとこちらを、必然的に行き来しなければならないものであるがゆえに、帯びた属性であったのだろうけれど。これはその作品中、鳥が初めて飛行する場面。

……水平飛行に移ってからは翼の先にある風切羽が半円を描いて、私を前方に引っぱってくれる。長めの尾は宙に垂れて安定に役だった。ところが私はピッと一鳴きするほどのあいだに、ほぼ十五回もはばたかねばならなかったのである。そうしないと進むどころか、浮いていることさえできなくなるのだ。また激しい運動を続けていると、体の中が火事になったように暑苦しくなった。（中略）
飛行を続けるうちに、内臓の機能も調子が出てきて、焔《ほのお》を噴きそうだった体もさめてきた。私は完全に〝飛ぶ生物〟であることを自覚した。（中略）
しばらくのあいだ、私は海辺の上空をただぐるぐる回っていた。これは自分の意志でも飛び方のせいでもなかった。生まれた場所へ戻りたい気持と遠くへ離れていきたい衝動が、私の中でしのぎを削った結果である。（中略）
私はいいかげんに自分の優柔不断から来る旋回飛行を終らせよう、と決心した。でも旅の行く先はまだ知れない。そこで「さてどちらに行きましょうか？」と私の見えない友にうかがいをたてた。
「南西に」とジーンは即座に返事をした。私は羅針盤の針を合わせた。
――『ジーンとともに』加藤幸子著

なんだか不思議な感覚、と思っていたら、同じ著者の別の本でも、またそういう眩暈のようなものを感じ、いよいよ、これはどういうことなのか、私は思わず考えてしまったのだった。

その別の本のタイトルは『長江』。南京《ナンキン》大虐殺の前後に日本人と中国人として生まれた二人の男女の物語。出だしでは、この二人の赤ん坊を取り巻く環境が、それぞれの赤ん坊の視点から述べられている。もちろん赤ん坊には状況説明能力はない。だから、縷々《るる》述べられているのはどこまでも赤ん坊の視点に立って「通訳された世界」であるのだが、その通訳者の語り口が冷静かつ客観的、独特の清潔さで、本来言語化の不可能と思われる、感情的にまだ未分化な世界を切り分け進みながら、いつのまにか二つの異世界（赤ん坊側ノンヴァーバル世界とこちら側ヴァーバル世界）の間に、生き生きとした通路を開いているのだ。「鳥」のときに、感じた眩暈の正体はこれだったのだ。そのことに気づいた瞬間、目を奪われる思いがした。違う次元の視点の存在が、はっきりと現れた気がしたのだった。

『長江』では、大人になった二人が、再び中国で会うのだが、かつて中国で育ったといえども、主人公の日本人は、そのとき否応《いやおう》なく外部の旅行者としての目で、中国を見てしまう。そしてそこで生活を続けてきた（つまり中国で生まれ育ち一歩もその外へ出ることのなかった、native としての視点しか持たない）、もう一人の主人公との出会いの時にもその通路は現れる。読み手は両者の視点を同時に意識し、またシフトされながら不思議な感覚に陥る。

この加藤作品に独特の、読み手を観察者の視点（observer's point of view）から、当事者の事情（native's reality）の内へとシフトさせてゆく手法は、つまり、境界を自在に行き来する、意図的な方法でもあったのだった。

私は立ち上がり、さっきの彼が座禅を組んでいたところへ移動する。カモメはもういない。遠くフランス側から白いボートが現れる。冬場なら夜と言っていい時刻なのに、空はまだまだ青くて、海との境界の辺りがぼんやりしている。ボートはその向こうから湧《わ》いて出たようにやってくる。

ローザの共感性は、「違う次元の存在」を見いだすものではなかった。「意図的な手法」も眼中にはなかっただろう。が、人間として、彼女の存在は美しい。けれど、そう感じさせるところに危険が潜んでいることも明白だ。美しさやヒロイズムに酔うことは、人を主観の世界から出て行きにくくさせるから。

『長江』のなかにも、南京大虐殺の話があったけれど、この加害者（といってもいいのだろうか）側の、今はすっかり好々爺《こうこうや》になっているごく普通の人々の証言として、「どうしても同じ人間とは思えなかった」という台詞《せりふ》が多数あることを知ったとき、そのリアリティの凄《すご》みに、ものすごいものを人類のバトンとして受け取った気になった。

なぜこういうことが起こりうるのか。

この問いは宗教の問題とセットになって、もう随分長い間、私を罠《わな》のように捉《とら》えて放さない。

「どうしても同じ人間とは思えなかった」という感情は、おそらく大昔の十字軍の兵士にも起こった感情だろう。いや、戦場では、どこでもいつでもそうだったのだろう。対人行動パターンで現れる、文化的防衛の一種。自分を内側から侵略される恐怖に耐えきれず、共感が生まれる可能性を頭からはねつけているのだ。そしてその勢いで生じた攻撃性が、制御不能となってしまう。こんなに大勢の「普通の人」が、その恐怖を、境界を乗り越えられなかったのだ。きっと、人間の本能と対峙《たいじ》しなければならないぐらいの仕事なのだろう。けれどその恐怖を取り払う勇気を持つところから、その本能をねじ伏せる努力をするところから始めなければ、もう、これからの人類に未来はない。

（それは、わかっているのだけれど。
でも人類は本当に未来を望んでいるのかしら。
私はもう最近単純にそう思えなくなってしまった……）

この美しい海峡に、どれだけの戦いがあり、どれだけの死者が眠っていると思う？いつの間にか連れがやってきて、私の隣に座る。さあ、すごい数でしょうね。そうね、それなのにきっと、自然は相変わらず美しいのよ。人間の愚かさも、時の流れの中で、詩情に彩《いろど》られ、謳われていって……。そういうふうにいわれると、なんだか断崖の方へ吸い込まれそうになる。あらあら、あなたはもっと強い人だと思っていた。それは誤解。今だって、自分の生き方を決めあぐねていたのよ……。
考えがまとまらない。もうずっと、考えがまとまらないでやってきたのだった。

もちろん、ローザと、戦争中に「どうしても同じ人間と思えなく」なる状況に陥った人々とは対極にある。ローザは牛の目に「人の悲哀」を認めたが、後者の人々は、人が「家畜以下」にしか見えなくなってしまったのだ。全く違う。

が、同じ次元なのだ。同一平面上の逆向きのベクトルなのだ。

「美しさやヒロイズムに酔うこと」も、境界のこちら側の連帯や内部の共感を強くし、そして強くするばかりでなく、こちら側から動けなくしてしまうのだ。

けれど、それが人間の営みであり、人間という種が滅びに至る壮大なプロセスの一部なら、もう、とやかくいうのはやめて、こうやってやがて沈む夕日を待つのが、一番心穏やかな私の「天国」的状態なのではないか……。

危ない、もっと後ろに下がって。連れが声をかける。私は下降していったカモメを見ようと、断崖の際《きわ》へ寄っていたのだった。素直に下がって、さっきの「彼の位置」に戻る。

そう、例えばここから、自分を開く、訓練。

私たちの経験してこなかった相手の歴史に対して、そしてもしかしたらそれが自分のものになっていたかもしれない可能性に対して、自分を開いていく。

加藤氏の文学的手法を、つまり、他者の視点を、皮膚一枚下の自分の内で同時進行形で起きている世界として、客観的に捉えてゆく感覚を、意識的なわざとして自分のものにする。それは、観念的なものとしてでなく、プラクティカルなものとして。思考されるものとしてでなく、体感されるものとして。

冷静に、日常の意識を持続させたままで、と、こう書くと簡単そうに聞こえるけれど、じつはものすごい力業なのだ。理想的な状態に達するためには、たぶん、トップクラスの心理療法家ぐらいの力量が必要なのだろう。自分を保ったままで、自分の境界はしっかり保持したままで、違う次元の扉を開いてゆく。

（けれども、それは、種全体で到達しなければならない境地で、種全体としては実はそれを望んでいないのではないかしら。だったら一人でこんなことを考えているなんて、虚《むな》しく馬鹿《ばか》げたことなのかもしれない……）

あなたが落ちたら、ってさっきから考えていたのよ、と連れが言う。だって、本当にあんなに身を乗り出すんだもの――あなたが下まで落ちたら、そうね、まず麓《ふもと》まで下りてレスキュ隊に連絡する。それが一番理性的。あなたが落ちかけていて、私に助けを求めていたら――それでも本当はレスキュ隊に連絡しに行くのが一番賢いのでしょう。でも、咄嗟《とっさ》のことだったら、私にはそういう理性はなくて、助けようとして自分も、ってことになるだろうなあとか、考えていたの。私は黙って聞いている。連れは話し続ける。いざとなると、きっと、理性なんかに相談している暇はないんじゃないかしら。で、一番その人らしい行動が出る。きっと、人間ってそうやって人生を締めくくってきたのよ……。

私の方はね、と口を開く。いつか人類の意識が、まるで「反射」のように難なく自他の境界を行き来できるときがくればいいと考えていたの。自分を開いていくことについて。ほら、反核のグループが、百匹目のサルの話をパンフレットにしていたでしょう、そういう日が来るかしらって。そうね、と連れはあまり深く考えていないような口ぶりで応《こた》える。気の遠くなるような、あとの世代かもしれないけれど、今から少しずつ、DNAにバトンを渡してゆけば、きっと。

私たちが麓まで下りる間、世界は明るいままだった。帰りの車の中で大きな夕日が沈む様を見た。

セブンシスターズの初夏の午後を思い出す。

「開かれた場所」を彷徨《さまよ》っていた人を。「訓練」を続けていた青年を。牛のような瞳《ひとみ》をしたポニーと、ローザのことを。境の上を舞っていたカモメのことを。不思議な明るさをたたえた草原の、長い長い黄昏《たそがれ》を。

それはあまりに長い黄昏だったので、帰り道、黙々と歩いていた私は、ついにぼやけてきたその明るさを、ふと、曙《あけぼの》かと訝《いぶか》ったのだった……。

隠れたい場所

豊かな緑で境界をつくる、それが生垣。

なぜこんなに惹《ひ》かれるのだろう、と自分でも不思議に思うぐらい、昔から垣根が好きだった。小学生の頃読んだ「ムーミンシリーズ」の中の一冊に、猫ぐらいの大きさの登場人物二人（二匹？）が、垣根の中に棲《す》みついている、という場面があった（と記憶している）。垣根の内部から見た外の風景、葉っぱの重なりを透かして出来た日溜《ひだ》まり。そうか、垣根の「内側」に棲むこともできるのだ。植物そのものとの一体感を思って幼い私は恍惚《こうこつ》としたものだった。それから長じて「ムーミンシリーズ」の中にその一節を探すのだが、未《いま》だに見つからない。記憶の中でいつしか、原作を自分の好みにアレンジしてしまったのかもしれない。そういうことはよく起きる。つい自分の「型」に入れてしまうのだ。結局何が好きかといって、小春日和《びより》に茂みの中に「隠れている」ことほど、「帰った」という気がすることはない。

だから、英国の田園風景でも特に惹かれたのが、hedgerow——生垣だった。

その歴史はかなり具体的に知られている。英国に一〇六六年、ノルマン人がやってきてから、土地の境界を示す線は、それまでのサクソン人の、柵《さく》を立て、枝を編み込む垣根から、芽を出し枝を伸ばし花を咲かせ実をつける生垣、に変わっていった（もっとも、サクソン人が立てたサンザシの杭《くい》が根を出し芽吹いて、生垣になった例も多かったと思われる。囲い込み運動の時代を経て、実際、今でもその当時からの hedge が残っているところもある）。枝を密に巡らせ、葉を茂らせるサンザシなどの低木を基本にして、オークやトネリコ、ハシバミなどの丈のある木もところどころ混じるようになった。

厚く繁《しげ》った生垣は、数メートルの幅を持つところもある（現在の英国の広い耕作地には、真ん中にぽつんと、まるで日本の鎮守の森のようにこんもりと小さな木立が取り残されていることがある。農業が機械化されたせいで、効率性を追求するため生垣は取り払われたが、本来生垣の一部だった茂った木立だけが残ったものだ）。

ごく普通の生垣でも、陽の当たる森の入り口に育つ類《たぐい》の草花と、鬱蒼《うっそう》として光の届きにくいところに育つ草花を、ほとんど隣り合わせで見ることが出来た。光と陰の複雑に交錯する構造。特に中世の時代、生垣は薬草の宝庫だった。昆虫や、カタツムリ、ミミズ、トカゲ、ヘビ、そしてそれを狙《ねら》うブラックバード、ムクドリ、ミソサザイ、トガリネズミ、ハリモグラ、またそれを狙うキツネやチョウゲンボウ……。森から這《は》い出してきた小動物は、生垣で一休みし、餌《えさ》を補給する。狩りで追われたキツネは、生垣を目くらましに使い逃げ込む。人々は薪をとり、子どもたちは生垣に引っかかった羊の毛を集め、食べられる実やお茶にする葉を採取し、寄ってくる動物はときに蛋《たん》白質《ぱくしつ》の供給源になった。

千年以上かかって作られた、高度に入り組んだ生態系を持つ生垣には、現在英国固有の哺乳類《ほにゆうるい》の半分、鳥類は五分の一、爬虫類《はちゆうるい》に至っては全《すべ》ての種を見いだすことが出来る。生垣自体に巣を作る鳥は約四十種。その生垣の年代を推定するのには、基本となる低木が大体三十ヤードに一種類あって百年と考える。だから三十ヤードの間に二種類の木が入っていたら、その生垣は約二百年前、囲い込みの時代に作られ、十種類以上入っていたらサクソン人の時代から、と見積もるわけだ。

羊や牛が開けた穴や、朽ちた箇所や伸びすぎた枝などを手入れするのが垣根職人。今もってこの垣根職人は私の理想の職業で、ナショナルトラストの会員になっていたのも、ボランティアで職人見習いの募集があるのを密《ひそ》かに待っていたからだった。そのための本も集め、このようにせっせと知識も蓄えていたのに、要請の日時と私の都合が合わなかったりで、英国滞在中は一度も出番がなかった。結局のところ、生垣修復の需要自体があまりなかったのだ。

現在生垣はすごい早さで消えつつある。近代的な農業は生産性を第一に考えるので、コンバインでぎりぎりまで耕作するためには、ぼやぼやした生垣は邪魔なのだ。そのせいか、かの地でhedgehog――ハリネズミをほとんど見なくなった。数十年前はちょっと田舎道を走るとハリネズミの死骸《しがい》がごろごろしていた。最近では死骸すら見ない。また害虫を捕ってくれていた鳥がいなくなるので、農薬を多量に使わなくてはならない。取って代わりつつあるのが有刺鉄線。クリアーでわかりやすい。生垣はダル。境界線で揉《も》めるし。

シンプルさはあっという間に行き詰まり、かといって豊かさは混乱を招くこともある。

隠れている、なんて大体卑怯《ひきょう》じゃないか、という声を耳にしたことがある。「9・11」テロ事件後、テレビが毎日のようにアフガンの様子やタリバンに占領された村々の様子を映していた。その声はオサマ・ビンラディンに向かっての、アメリカ側の誰かのヒステリックな叫びだった。映像に映る、タリバンに着用を強制されていたという、ブルカを纏《まと》った女性たちの異様な姿は、イスラーム原理主義占領下の異常さを伝えるのにとても効果的だった。

イスラームの女性の被《かぶ》りものは、覆《おお》う部位や大きさ、また国によって、様々な呼び名があるが、総称してヘジャーブという。アフガニスタンのヘジャーブはブルカと呼ばれ、他のアラブ・ペルシャ地方の、平面的な一枚布で構成されているものとは違い、頭の上に載せた縁なし帽にタックを沢山取った布をテント状に下ろしたもので、目の部分だけ編み目状になっている。それが牢獄《ろうごく》のイメージを伝えて、よりいっそう束縛されている感じを出していた（アフガニスタンのヘジャーブだけがこういう形になったのは十六世紀前後かららしい）。

イスラームに対する批判の中には、唯々《いい》諾々《だくだく》とヘジャーブを「纏わせられている」女性たち自身に対するものもある。「隠れている」状態は、それを強制させられていることに対する同情と共に、抑圧に対する自覚がなく、自覚があるのなら卑怯であり、個として認められなくても当たり前、というような。

ヘジャーブ自体は、実際には彼女たち個々の身体的特徴が見えにくくなるだけで（イスラーム的にはそれで性的挑発を避ける）、彼女たちの生きる共同体の特殊性や、社会的な発言に制限が加えられるハンディを考えても、纏っている女性たち自身を非難するのはおかしい。それがファッションなら非難は来ないのだろう。たぶんその宗教的特性に対する反感が、勢い彼女たちに対する過度の非難や同情にすり替わったのだ。それとも「隠れている」というその行為そのものにだろうか。

イスラームの問題で混乱するのは、それがジェンダーの問題と、政治的・軍事的問題とそれから宗教的合理性の問題と、もっとややこしいことには私たちの中にはその前近代的意識の在り方に対するそこはかとないあこがれがあって、これらがきっちりと意識の俎上《そじょう》に上がってこないで無意識に互いに影響を与え合っているというところだ（けれどこういう事態こそが、そもそもイスラーム的、ということなのかもしれない）。この手の議論が大抵、活性化することなく尻《しり》すぼみに終わってしまうことの原因の一つには、所々でめんどうくさくなって、諸悪の根元というような、非常におおざっぱ、と言うにはあまりにもナイーブな言い方や考え方をしてしまう一種の投げやりさにある（けれどこういう成り行きこそがそもそもイスラーム的、ということなのかもしれない）。全体を見るとあまりに複雑に絡《から》み合っているので、それぞれの話し手がどこかの位相に軸足を置いてどこかの位相の影響を受けながら話すものだから、論点はなかなか嚙《か》み合わずに終わってしまう（けれどこういう結末こそがそもそも……）。どこまでも生垣的な状況に、有刺鉄線的パースペクティブを適用しようというところに無理がある。

その昔、政教分離の道を選んだいわゆる「先進諸国」に現在巣喰う根深い病理と、「信仰」を政治・経済・生活全ての中心に据えたイスラームの国々のヘジャーブに代表されるわかりやすい不自由との、不幸度を比較してもしようがない（ちなみに「自覚的に」ヘジャーブを纏っている、あるムスリム日本女性の手記によれば、それは没個性どころか、外界からくっきりと個を区別する、アイデンティティの強烈な主張だという。私の容貌《ようぼう》は私だけのもの、見せてなんかやらないよ、という気持ちになるのだそうだ。誰かの所有物として覆いをかけられているのではなく、無遠慮な誰かの視線によってオブジェ化され所有されることを強硬に拒んでいるのだ、と。内側からの視点にはいつも、外部からは思いもよらない世界観を突きつけられ、はっとすることが多い。一度生垣の中に潜り込んでそこから外を透かしてみると分かるけれど）。

隠れているが、所在を隠しているわけではない。ええ、ここに隠れているのです、という開き直った安定感。隠れていて、しかも現れている。「自分」ということの線引きにおいては、なんとクリアーな境界。

そうだ、ヘジャーブは一見その何百年と変わらぬ進化のなさから、ダルの方に属するように見えるけれど、実はとてもクリアーな境界なのだ。この辺がとても複雑で、入り組んだところだ。両方を内包している。

先日、「御陵」について調べていたら、宇波多陵《うわたのみささぎ》という御陵の項に目が止まった。これが藤原旅子《たびこ》の陵墓だと書いてある。あれ、旅子さんのお墓なら、還来《もどろき》神社ではなかったかしら、とふと不安になった。

近江《おうみ》の比良《ひら》山系の山々と、比叡《ひえい》山系のそれとの、ちょうど間ぐらい、竜華《りゅうげ》の荘《しょう》という地の和邇川《わにがわ》の流れる畔《ほとり》に、古い神社がある。名は還来神社。ここには桓武《かんむ》天皇の妃《きさき》の一人、藤原百川《ももかわ》の娘、旅子が祀《まつ》られている。言い伝えによると、彼女は亡《な》くなる際、故郷の比良の山麓《さんろく》、南斜面に梛《なぎ》の大木がある、私が死んだら遺体はそこに埋葬して欲しい、と遺言した。生まれ育った地に帰ってきた、というので、帰還を頼む神社として知られている。彼女が亡くなったのが七八八年、その約四百年後の平治の乱のとき、都落ちする途中の源義朝《よしとも》がまた帰り来ることを祈願して白羽の鏑矢《かぶらや》を献じたとも伝わっている。昔は出征兵士などが、この梛の葉をお守りに身につけ、戦地に出かけたのだという。

自分が死んだらどこそこに埋められたい、というのは昔から人に付き纏っていた欲求なのだろうか。現代では、遺灰は海に撒《ま》いてくれと遺言されたけど諸般の事情で難しくて……という話をよく聞くけれど。○○家の墓、夫の家の墓にだけは入りたくないという断固とした決意表明もまたよく聞く話だ。帰属意識の問題もあるだろう。人は皆、○○会社の社員であったり、○○学校の出身であったり、○○会の会員であったり、○○家の人間であったりするわけだけれど、いよいよ今生の別れ、というときになって、自分の骸《むくろ》の始末を考えるとき、自分の核にある場所が、空間的に明らかになる。

彼女にとっての、自分の核にある場所は、故郷の山麓南側斜面、椰の大木の下。子供時代を過ごしたそこに、彼女が帰っていったのだ、彼女はそこに永遠に「お隠れになっている」、と思うことは、私にとっては切なくなるような身につまされる話だったので、よく覚えていた。

それが、そうでなかったというのだろうか。彼女は彼女の願いにも拘《かか》わらず、実は全く違うところに埋葬されていたのだろうか。千年以上も。だってみな彼女は帰ってきたのだと思っていた。源義朝だって。そんなことがあるだろうか。彼女の遺骸に付き添って帰ったのは、この地にいるときから彼女に仕えていた畑丹波守《たんばのかみ》。女主人の遺骸と共に、粛々とその遺命を守り、途中越《とちゅうごえ》を帰ってくる、そんな場面を思い描いていたのに。

まさか、という思いで、宮内庁《くないちょう》の京都事務所に電話して訊《たず》ねると、桃山陵管区事務所の方が詳しいだろう、ということで、そちらに電話する。いろいろとお聞きした結果、宇波多陵として改名登録されたのは明治になってから。それ以前は後大枝陵《のちのおおえのみささぎ》と呼ばれていたことがわかった。宮内庁書陵部陵墓調査室の方ならもっとそれ以上の詳しいことが分かるだろう、ということで、今度はそちらに問い合わせる。用件の向きを話すと、しばらく時間をください、調べてみますので、ととても誠実に対応していただき、また一時間後に電話することにした。

旅子さんの帰りたい、という思いは叶《かな》えられなかったのだろうか。私はそれをはっきりさせたく思う。けれどクリアーにすることにどこかためらうものもある。第一、彼女が別の所に埋葬されていることが分かったとして、私が一体旅子さんのために今、今頃になって、何が出来るのか。

再度の電話でとりあえずわかったことは、彼女の息子が淳和《じゅんな》天皇になった後の八二四年、彼女が葬《ほうむ》られていた、西院の大枝という場所にあった墓に、改めて御陵としての名前が付いた。それが京都市西京区大枝にある後大枝陵。彼女が亡くなってからまだそんなに年数が経《た》っていないときのことなので、たぶんこれは信頼の出来る「本物の」墓なのではないか、ということ。それでは、と私は食い下がる。

——天皇の生母となった以上はいろいろと都合があって、本当に遺骸が葬られたのとは別の場所に、正式の御陵を建てた、ということはないでしょうか。私は何としてでも彼女には「故郷の山麓南側斜面、椰の大木の下」に眠っていて欲しいのだった。

――それはたぶんないでしょう。どんな辺鄙《へんぴ》なところに葬られたにしても、そこに遺骸があるのならそこが御陵になります。そういう例はいくらもあります。たぶん、その後大枝という場所に墓があったという確実なものがあったのでしょう。

――それなら、なぜ、還来神社のような言い伝えがあるのでしょう。これはかなり、広く伝わっています。

――さあ。それはその神社さんに訊《き》いてみるしかしようがないのではないでしょうか。

時間をとって調べていただいたことに、丁寧にお礼を言い、還来神社に直接電話をかける。かからない。次の日かけてもかからないので、大津市の文化振興課というところに問い合わせ、大津市神社庁の電話番号を教えてもらう。そこで、還来神社には普段人はおらず、雄琴《おごと》神社の宮司さんが兼任していらっしゃるのだと知る。そこに連絡して、やっと、還来神社でお話をしていただくことになった。

秋雨の、霧のように降っている日だった。

還来神社は私の住んでいるところから車で四十分ほどのところにある。柿《かき》が色づき、山が錦《にしき》を纏う山里の風景の中、和邇川にかかる赤い橋を渡ると、すぐ横が還来神社の駐車場。車を停めて、境内に足を踏み入れると、朽ちた梛の木の大きな根株が目に入った。雨が神さびた霊気を境内に漂わせていた。社務所の軒下で、宮司の稲岡さんが待ってくださっていた。

——藤原の旅子さんは、このすぐ先、現在栗原《くりはら》と呼ばれる辺りの出身だと言われています。墓は、ないのです。結局梛の木、だけで。要するに、御神霊をお祀りしてある、ということなのでしょう。

予想していたとはいえ、あまりにも淡々とお話しになられるので、かえって信頼がおけるような気がしてくるのだった。稲岡さんは「還来神社御由緒《ごゆいしょ》」と書かれた、ワープロ打ちされた由緒書きのコピーを用意してくださっており、そこには、

「……（旅子）病重篤《じゅうとく》と成りし時『我が出生の地、比良の南麓に梛（ナギ）の大樹有り、その下に祀る可《べ》し』と遺命されし故《ゆえ》、此処《ここ》に神霊として祭祀《さいし》さる」

とあり、どこにも遺骸が葬られたとは書いてなかった。

つまり、彼女が還《かえ》りたい、と願ったのにも拘わらず、彼女の遺骸はついに還らなかった。栗原には、彼女の死後、彼女に従っていったお付きの人たちが帰ってきたという。おそらく彼女の遺命を通そうとがんばったがそれは叶わなかった、せめて御神霊としてここに、ということではなかったのだろうか。ここには、彼女の還りたいと切に願う気持ちが祀られている、と考えた方が正しいのかもしれない。

礼を言い、社務所を出ると、まだ小雨が降っていた。比良山地の深山の霊気が伝わってくるような境内の山際《やまぎわ》に立つ、厳かな杉の大木を指して、

――ムササビが棲《す》んでいるんです。

と、宮司は目を細めて言われた。

彼女の里、といわれる鄙《ひな》びた山里に車を走らせながら、私は幼い彼女が、隠れ鬼をして遊んでいる姿を想像する。

しぐれている、というのにはまだ早い季節なのだけれど、不思議に明るく冷たい秋の雨は、ひと気のない寂しい村里をオブラートのように包んでいた。まるでいろいろなことを諦《あきら》めざるを得なかった女の人の微笑《ほほえ》みのように。そして気がつけば私もその

中に包まれているのだった。

そのとき、車のラジオニュースが、米上下両院が、対イラク武力行使決議を可決、と告げる。

アメリカ！　突然冷水を浴びせられたような気がして、私は思わずため息をつく。千年の時を超えて、旅子さんは助手席に座る。衝撃を受けた私の頭の中から、押し出されるようにして。私は心の中で彼女に呟《つぶや》く。


……ここ二、三日、旅子さん、あなたのことばかり考えていました。けれど、ここでまた、全く別次元の現在のことが考えの中に入ってくる。人はいつでも、「個人の生」と並行して、「時代の生」をも生きなくてはなりません。旅子さん、あなたもそうだったのでしょう？　権力闘争に明け暮れた古代を生きた人はその古代の、暗黒の中世を生きた人にはその中世の、二十一世紀を生きる私たちには二十一世紀の。そして今までのどの時代よりも、ここ半世紀ほど、私たちは意識的でした——気づいてしまったのです、例えば強者の傲慢《ごうまん》について。その不当な搾取《さくしゅ》について。そして今までのどの時代よりも理性的であろうと努めてきました。そのことと、今世界が孕《はら》んでいる、気の遠くなるような数多くの不条理とかつてない大じかけな対立との間に、短絡的な因果関係を求めることは出来ない、つまり、私たちが意識的になったせいで、事態がこうなったわけではないのです。事態をここまで推し進めた力が、同時に私たちの意識化も後押ししたということはあるだろうし、またその結果、今まで見ずにすんでいたものが見えるようになった、ということもあるかもしれないけれど。ええ、そうなんです、みんな、がんばったんだけれど、結局、こうなってしまって……と途方に暮れて呟く。和邇川に架かる橋のところに戻り、県道に戻るために車を一旦《いったん》停止する。その間に小さな旅子さんは、帰ってゆく。

帰ってゆく。一人で。

さよなら。またいつか。

大じかけな対立――世界を大きく二分するわかりやすい対立関係、かつての冷戦時代の資本主義対共産主義や、現在のブッシュ対（彼の言うところの）悪の枢軸《すうじく》国家などではなく、直線的でスピード感の強い動的な動き（原理主義的なもの、ブッシュもフセインもアルカイダもシャロンも、ついでにいえば過激なグリーンピースも）と、進歩ということがそもそも念頭にない（あるいは非常に意識的にそのことに懐疑的な）前近代的ともいえる静かでわかりにくい諸々《もろもろ》で構成されたムーブメント。スピーディーなものとスローなもの。クリアーなものとダルなもの。有刺鉄線的なものと、生垣的なもの。そういう、今まであまり表に出てこなかった、けれど本当はそもそもの最初から仕組まれていた、大じかけな対立が、なんだか最近、とてもよく見えてきたような気がする。

それは世界地図をきれいに色分けできるものではなく、本当は個人をそれぞれグループ分けするものでもなかった。溶け合うことなく「入り混じって」いたものだった。

クリアーにしたい欲求はとてもよくわかる。ほとんど生理的なものだ。ここ二、三日の、自分の取り憑《つ》かれたような行状を見ても（もちろん、しょっちゅうこういう風な生活を送っているわけではない。たまたまそれが、私自身の根幹に触れる何かであったため、本来ものぐさな私を突き動かしたのだった。けれど、ブッシュだってアルカイダだってそうなのだろう、自分の生の「根幹に触れた」という点においては）、夢中になって我を忘れてしまう。

つまり、こういう、性急さ。

それは善悪の基準の介在しないところで起こっているので、ついうっかりしてしまう。悪いことをしている意識などどこにもないのだから。

たいていの場合、個人や集団の中で混沌《こんとん》としていたものが、その対立関係がその境界が、にわかにクリアーに突出してきたような気がする。さあ、おまえはどっちなのだ、と日本は迫られ、個人も迫られ、そのたびに重ねて行く選択が、知らず知らず世の中の加速度を増してしまう。いいとか、悪いとか、いう二分法ではないところで、私たちはうかうかとこの世界の加速度を増してゆく何かに荷担していってしまう。境界をクリアーに保ちたいと動いてしまう。ただ、わかっていることは、クリアーな境界に、ミソサザイの隠れる場所はないということだ。蛇の隠れる場所もないかわりに。それは皆、わかっているはずなのに。

湖の畔《ほとり》に車を停める。霧のような雨が止《や》もうとしており、大気がカーテンのように翻《ひるがえ》り、鈍色《にびいろ》の湖が音楽のように色を変えて行く。彼方《かなた》向こう、高い高い場所から、幾重にも重なった雲を刺し貫いて、さっと光が射《さ》してくる。

小さい頃、もう二度と生垣の中から出るものか、と決心したことがあった。けれど結局お腹《なか》はすくし、何より外からの光が、何だかとても気持ちが良さそうで、私はやはりうかうかと誘われるようにして出てしまうのだった。同じ所に留まっているなんて、私には結局出来なかったのだ。だからこその憧《あこが》れだったのかもしれない。太古の昔もああいうふうに雲間から陽が射していたのだろう。私がこうやって見とれているように、ブロントサウルスも突然の光の気配を感じて、ふと、何ごと、と空を仰いだかもしれない。

それは、何だかとても懐《なつ》かしい、いつか、自分が、永遠に隠れていられる場所から、届く、光のようで。

風の巡る場所

I

トルコ・中央アナトリアに、コンヤという古い町がある。イスラーム神秘主義の一派、メヴレヴィー教団の発祥の地でもある。繙《ひもと》けば先史時代からの歴史を有する町で、ルーム・セルジューク朝時代に首都だったときは、東方からの学者や芸術家等で華やぎ、成熟した文化を誇った。そういう過去が今は静かに街並みや建造物に溶け込んで、他のざわついたトルコの町にない、敬虔《けいけん》で落ち着いたイスラームの空気に包まれている。

メヴレヴィー教団は、白い衣をスカート状に翻《ひるがえ》し、くるくると舞うセマーと呼ばれる祈りの儀式で知られており、その創始者、メヴラーナ・ジェラールッディン・ルーミーも、かつてこの町に集った学者であり、また高名な詩人であった。

そのルーミーの棺《ひつぎ》が納められているメヴラーナ廟《びょう》は、日本のお寺のように、またこの国の他の多くのモスクのように、靴を脱いで入る。靴は袋に入れて自分で持ち歩く。

非ムスリムの女性であってもスカーフの着用が強制、とまではいかなくとも、「礼儀として」着用することが求められる。

近郊のムスリムの人たちにとっては、昔の日本の伊勢《いせ》参りのようなものなのだろう。コーランの読経《どきょう》が流れる中、ヘジャーブ姿の女性が、あちらこちらグループで見学にきているのが目に付く。ハレの衣装らしいことはその装飾の美しさで分かる。それまで旅行してきたトルコの田舎の方では、こんなにゆったりと余裕のある女性たちをほとんど見かけなかった。女性を見かけても、畑での農作業や、庭先での家事の途中のことが多く、皆逞《たくま》しく、働き者なのだった。けれど男性たちはどんな田舎の村でも昼間からチャイハネ（テラス付き喫茶店）でだらだらと時間をつぶし、三々五々、男同士連れ立って町をぶらついているのだ（さすがに少し都会になると男女のカップルも見かけるけれど）。女性が虐《しいた》げられている、という感じは微塵《みじん》もなく、むしろ、逞しく大地に生きていて、男性の方は何となく所在なげだ。

それでもヨーロッパの町並みで見るトルコ人たちと、ここで見るトルコ人たちの印象は全く違う。ヨーロッパの国々でも、彼らは連れ立って歩く。けれどそれにはどこか疲れた影があったり、背景から浮き上がるような切々とした流離感がある（それは「グローバリゼーション」のもつ、様々な顔の一つである）。女性たちは女性たちで、またそれとは違う浮き上がり方をする。ロンドンの街並みを、どこか心細げに、しかしはっきりと拒絶の空気をオーラのように纏《まと》い、どこまでも周囲に溶け込まず、なにやら異物のように足早に歩くヘジャーブの小さな群れ。それがこのイスラームの母国では、何と堂々と自信にあふれ、あるいは優雅に、彼らは町を闊歩《かっぽ》するのだろう。考えてみれば日本人もそうだ。「母国」とはそういうものなのだろう。

壮麗な棺の間の次の部屋には、ルーミーの手書きの詩や、コーランの写本などが飾られている。さりげない風にして、硝子《ガラス》のケースが、四方から眺められるようにぽつんと部屋の真ん中寄りに据えてある。その硝子の中には瀟洒《しょうしゃ》な螺鈿《らでん》細工の小箱が納められていて、預言者ムハンマドの髭《ひげ》が入っているのだという。回りを、ヘジャーブ姿の女性たちが囲んでいる。ふと、向こう側に立つ年配の女性――その温かみのある堂々とした体軀《たいく》は、この地方古代の豊饒《ほうじょう》の女神キベレを思わせた――と、目が合い、互いに微笑《ほほえ》み、また微笑み返すと、彼女は手招きしてこっちへ来いという。側《そば》に寄ると、彼女はその硝子ケースの片隅に顔を寄せて手で軽く自分の方へ扇《あお》ぐ仕草をし、それから私に同じことをしろというように頷《うなず》いてみせる。実はその角には小さな穴が開いており、そこから白檀《びゃくだん》の何ともいえない良い香りが漂ってくるのだ。私は目を見開き、なんて、素敵、びっくり、という表情を造って微笑んで見せた。何しろ言葉が通じないのだから、多少は大げさにしなければならない。そうすると彼女は満足そうに、隣の角にも同じことをし、私に繰り返すように勧める。隣の角からもやはり同じような良い香りが漂ってくる。私はまた同じ表情をつくる。すると彼女は三番目の角へゆき、また同じことを繰り返す。ここで、万事合理的な「先進国」から来て間もない私は、多少戸惑いを隠せない。が、(初回ほど大げさにできないのは許されるだろう)一応驚いて微笑む顔を造る。とうとう四隅全部、彼女と私は同じ儀式を繰り返した。すると彼女は嬉《うれ》しそうに、本当に心から嬉しそうに晴れやかに笑った。そして私の肩を抱いた。それはまるで、ああ良かった、この子はどこから来たのかわけの分からない子だけれども、もう大丈夫、これで厄よけが終わった、良かった良かった、と言っている風だった。私はそこに、もう今はこの世にいない、かつて私を慈《いつく》しんでくれた母性に溢《あふ》れた女性たちが、彼女の姿を借りて佇《たたず》んでいる錯覚を起こした。彼女たちは確かにそこにいた、ように思った。回りのヘジャーブの人たちも皆、にこにこ笑いながら見ている。

何だか胸がいっぱいになって、それでも変に思われないように微笑み、そのまま外へ出た。俯《うつむ》いてコンヤの町を歩きながら、まだスカーフを取らないでいた。ひどく動揺して涙が止まらなかったのだ。

私は秘《ひそ》かに、こんなに動揺したことに動揺していた。そしてそのことについて、そういう「母性のようなもの」が私に及ぼす力について、旅の間中、繰り返し考えることになった。結局その動揺は、最後まで私に付きまとって離れなかったのだった。

旅に出かける、というのはその現実的な諸手続きの煩雑《はんざつ》さと共に、私にとっては実は気の重いものである。たとえ人混みにあってもそこで行き交う言葉は母語ではないので、いつも「自分」という透明なカプセルの中にいるようだ。普段は外界に向けていればすむ集中力が、何をしていても自然に自分の内界に向いてしまう。そういう、いわば「考える人」モードに入ってしまうのだ。今回はトルコだったので、それが特に濃密だった(英語圏だと理解可能な単語の一つや二つは耳に入ってくるのだが、イスラーム圏だとそれが全くない。加えて文化的にも未知の部分が多すぎるので、「自分」の濃度が内側でどんどん上昇して行ってしまう)。

故国にいるときは、忘れて済ませていたさまざまな出来事、そのうち向かい合おうと棚上げしていた自分の問題が、ゾロゾロと隊列を組んで向こうからやってくる。異国の四つ角に立ち尽くして、地図を見ながら自分の行くべき方角を見定めようとしているときも、バスに乗り遅れて黙々と歩かねばならなくなったときも。まるで間断なく続く音楽のように、自分の外界での行動と内界のそれが並行して互いに互いを投げ掛け合いながら旅程が進んでゆく。それは私の中の何かが渇望《かつぼう》していることではあったが、一方で別の何かはひどくそれを疎《うと》んじていた。何ともいえない奇妙な心身の消耗の仕方をするので。長い間、私の旅の南限は、ヨーロッパの場合、北イタリアまでだった。

コンヤの近く、その南西に位置するチャタル・フユクは、新石器時代の、(世界最古の)集落が発掘された場所で、そこからの出土品は、多くが首都アンカラにあるアナトリア文明博物館に収められている。

アンカラ駅からアタチュルク像のある四つ角を経て、ほぼ真《ま》っ直《す》ぐ丘の上を目指して行くと、左向かいの岩だらけの丘の上に、どこかもの悲しく荒涼とした城塞《じょうさい》が見える。紀元前から、この地方を支配しては滅亡していった、様々な民族の歴史が刻み込まれた城塞だ。

そのボロボロのジンジャーブレッドのような建物を眺めながら坂を上ってゆくと、やがて杉木立の向こうにアナトリア文明博物館が見えてくる。着いたのはまだ朝の早い時間で、前庭では日向《ひなた》ぼっこに集まった猫たちが、これも出土品と思われる様々な動物の像の間をゆったり散策していた。ベンチに腰掛けるとすかさず寄ってくる。日本語で他愛《たわい》のないことを話しかける。こちらが発する気配や、声のトーンで、動物はたいがいのことは理解するので、別に日本語でもかまわないのだった。じゃ、ちょっと、中を見学させてもらいに行くね、と立ち上がり、その昔隊商宿だったという人なつこそうな建物に入る。

ここには旧石器時代から始まる、アナトリアの遺跡から発掘された数々の出土品が展示されている。目当てのチャタル・フユクからのものは、入って右手のコーナーにある。紀元前七〇〇〇—六〇〇〇年頃、それ以前には洞窟《どうくつ》や岩穴で生活していた人々が初めて平地に下りてきて、最初に造った「家」とされており、その内部の復元が展示されているのである。

この「家」自体には、外敵や猛獣の襲来を怖《おそ》れて、窓もドアもない。日干し煉瓦《れんが》で造った、箱形の家の平屋根に穴が穿《うが》ってありそこから梯子《はしご》で出入りする仕組みになっている。

そんな素朴な「家」であっても、旧石器時代に見られたような洞窟の壁画と同じような壁画がその壁に見られる。さらに明らかに神聖な場所と思われる部分に、牡牛《おうし》の角を象《かたど》った頭部が祀《まつ》られているのだ。牡牛の角は力のシンボル、信仰の対象になっていたと思われます、とトルコ人ガイドが説明する。そのとき、私にはその言葉が、何か特別な意味を持って響いた。

……ならばそれは、最も原始的な信仰の形、祈りの始まり、というものではないだろうか。ただ、強大な力、というものに対するひたすらな憧《あこが》れ。子どもがヒーローを慕うような。もし、原初の「祈り」というものが、そういう止《や》むにやまれぬ憧憬《どうけい》のような形を取って立ち現れてきたのなら、それから、それが、自分にもその力を、という願望となり、その願望がかなうための呪術《じゅじゅつ》的行為、というふうに発展してゆき、その流れが一方では宗教性の深化という方向を、またもう一方では（どうしても嫌悪感《けんおかん》を禁じ得ない）強大な権力への飽くなき欲望という形になってしまったのも、遡《さかのぼ》ればもともとは、男の子がヒーローを見るときの目の輝き、に、端を発するのだろうか。

その見方は、私には何か思いもかけない方角からやってきた「諦《あきら》め」の光のように思えた。もう、本当にうんざりしていた。現在、世界を突き動かしている大国（や小国）の支配欲とか、金銭欲とか、馬鹿《ばか》さ加減とか、抜け目なさとか、に。

そうだとしたら、もしもそうなら、しようがないなあ、とため息が出る。

男の子か！

ああ、それならしようがない。

それなら私は最後までそれにつきあおう。

という、力の抜けた諦めにも似た覚悟が、ようやくもやもやとしていた霧の中からすっきりとした姿をとって現れてきた。厳密に考えれば、その「短絡的な見方」が甘い、ということはわかっていた。ただ、私には、この無力感から自分を引き上げる「諦めの光」のようなものが、必要だったのだ。とにかく、その光に、自分の気分をスライドさせて行くことが。

それが若い頃と違って、「目をつぶって」何となく受け入れられるように思えたのは、加齢に伴う私なりの母性の発達もあったのだろう（母性も父性も、また女性性も男性性も、そのもっとも高いレベルでは、その顕《あらわ》れにほとんど差がないように私には思える。例えば、深い母性愛も深い父性愛も、受ける印象はまったく同じになる、と）。いっしょにつきあって行くけれど、このままでは滅亡への道をひた走り、ということになるんだろうなあ、しようがないなあ……。

しようがない、と肩を落とすことと、しようがないなあ、とため息をつくことは、まったくニュアンスが違う。こういうことは日本語の使い手でない人には説明しにくいところだ。しようがない、というのは、ほかに選択肢がないことを不承不承認識した、落胆を含んだことばだが、しようがないなあ、の方は、あきれた感じと、本来つきあいきれないものだけれど、つきあってゆくよ、という、相手の存在を許して丸ごと受け入れる感じがあって、これはなかなか英語に翻訳できない、日本語、或《ある》いは日本人独特の言語だと思う。どちらかといえば母性的な味わいがある。

その牡牛像を祀った「家」内部の復元模型の近くに、同じチャタル・フユクからの出土品として、焼成粘土でできた高さ十五センチほどの奇怪な像が、ガラスケースに入って展示されている。その姿は昔の小錦《こにしき》関を思わせ、両側にヒョウを従えているが、ヒョウを象った肘掛《ひじか》けの付いた椅子《いす》に、どっかりと腰を下ろしているようにも見える。異様なまでの豊満さ。これがアナトリア最古の地母神、豊饒の女神とされている。

女神という言葉のもつイメージが大きく押し広げられてゆく、この禍々《まがまが》しいまでの不気味さはどうだろう。母性というものが、いったんネガティヴに転じたときの恐ろしさは世界中どんな国の神話にも出現する。それは「力あるもの」だから。産みだし育《はぐく》む力はかくもすさまじい。そして悲しい。

この地母神、豊饒の女神は、やがてヒッタイトのクババ、フリュギアのキベレ、ギリシャのアルテミス、と変転してゆくうち、次第にスマートになり、美しさを手に入れ、その太母的な本性を他の神に引き渡してゆく。最後にはローマ神話のダイアナへと洗練されてゆくのだ。

旅に出る前の、ある日の午後のことだ。

夕飯の支度のため、台所と庭を行き来していると、途中の居間で、付けっぱなしにしていたテレビが、『キテレツ大百科』というテレビアニメを流していた。藤子・F・不二雄原作。主人公は発明家の少年で、その仲間はドラえもんの友人たちと同じようなメンバーである。居間を通りがてら、ちらちらと見たり聞いたりしているので、ストーリーは粗方入ってくる。

雨が降らず学校のプールも取水制限のため使えない。主人公は一粒入れるといくらでも水が湧《わ》いてくる錠剤を発明する。だがまだ完全ではない。増えた水を止める方法が見つからないから。それをやんちゃな友人のブタゴリラ（ドラえもんのジャイアンに当たる）が勝手に古井戸に投げ込んでしまう。水があふれ出て洪水の危機になり、このまま増え続けたら、と男の子たちは地球規模の災害を想像して、真っ青になる。日本沈没、どころではない。そのとき、「ああ、大変」とみよちゃん（ドラえもんのしずかちゃんに当たる）が大声を上げる。この上何が、と、一同緊迫する。「洗濯物、干したままだわ（濡《ぬ》れてしまう）」皆がっくりして、ブタゴリラが（それでもみよちゃんは憧れの女の子なので男の子たちを怒鳴るよりはトーンダウンして）「それどころじゃないんだよ、地球の存亡がかかっているかも知れないって時に」とたしなめ、男の子たちの、これだから女の子はしようがないなあ、という表情を残して場面はすぐに次に変わる。

あらあらこれは、と私は苦笑する。まさか小学校中学年程度の年齢のみよちゃんが洗濯物の心配でもあるまい、作り手のかねてからの女性観がついぽろっと出てしまったのだろう。しかしこれを観《み》る子どもたちの多くは、この場面を「やはり女の子はこんなもの」と、その後の人生のあらゆる状況において、そこから判断の基を引き出す彼らの無意識の蔵に放り込んだことだろう。やれやれ、と、雑草だらけの庭で摘んできたハコベの始末をしながら考える。

作り手の意図がどうであれ、みよちゃんの反応は決して間違ってはいない。洪水になるということは、自分の日常が破壊されることであり、今日干した洗濯物が取り入れられなくなることだ。営々と続くはずの生活の営みが断ち切られていくことである。まあ、確かにちょっと近視眼的ではあるけれど、群れの中には必要な視点だ。とりあえず今夜のご飯のことを算段する誰かが居なくては群れはもたない。

自分の感覚や記憶などがいかに曖昧《あいまい》なものであるか、身に沁《し》みてわかっているつもりだけれど、とりあえず、手で触り、目で確かめ、皮膚で感じ取ったものを自分の内側に帰納させてゆく、その生活の場での積み重ねを基点に、世界に足を踏み出してゆく、そうでなければ「確からしさ」というものが一体どこから湧いてくるというのか。確実なものなんて存在しない。けれど、確実なものの気配は、その向こうに、確かに感じられる。それは、「感じられる」ものであって、必ずしもことばを必要としない。

……けれど、けれども、「太母的なもの」の力の源もまた、この「確からしさ」の性格を帯びたものではないか。だからこそ、あの大渦のような、制御不能の、有無を言わさず全《すべ》てを呑《の》み込んで行くようなパワーが生まれてくるのではないか。

町の方へ下りて行くと、何度か、遠足の途中のような小学生の集団に出くわした。アタチュルクの命日の週に当たっているとかで、アタチュルク廟《びょう》へ学校ぐるみ参拝(?)に行くらしいのだ。滑らかな白い肌、黒い大きな瞳《ひとみ》の子どもたちの中には、信じられないくらいかわいらしい子どもがいる。西洋風のよそ行きのワンピースを着ている子もいれば、小さいながらに意志的な表情でスカーフを纏《まと》っている女の子もいる。私が外国人だと気づくと、どの子もはにかみながら何とか声を掛けようとする。とりあえず、ハローと言う子が圧倒的だけれど、中には、こんにちは、と言う子もいる。こちらも微笑《ほほえ》んで手を振り、集団が行き過ぎるのを待つ。女性がヘジャーブを纏い始めるのは思春期を過ぎてから、と聞いていたけれど、随分早い時期から纏っている場合もあるのだと思った。それとも今日は特別の日だからだろうか。

「所詮《しょせん》女はこんなもの」的発想で、ムスリム女性たちがヘジャーブを纏わされているとは思いたくない。

ヘジャーブで隠されているものが、彼女たちの顔や名前であっていいわけがない。それでは何なのか。預言者ムハンマド以前、アラブの地を支配していた神話には、すさまじい残酷性を秘めた血に飢えた女神たちが登場する。そして当時、現実生活においても、その女神たちはアラブの民衆に執拗《しつよう》な干渉を続けてきた（その信仰において我が子を生き埋めにすることを強いるなど）。

その昔、ヘジャーブでコントロールされようとしていたのは、母性のネガティヴな強さだったのかもしれない。だがそう言い切れるだけ、私は彼女たちのことを知らない。例えば次のような事実も、ムスリム女性著者によるその本を読むまでは知らなかった。

この戦争（湾岸戦争）で、最もせっぱつまった反戦の叫び声を上げたのは概して女性たち、特にアラブの女性たちだった。おそらくは歴史的な突破口をつくったにもかかわらず、彼女たちの行動の詳細は気にもとめられなかった。だが、ベールをつけている女性もつけていない女性も、伝統に従って政治的指導者（それは必然的に男性であるが）の許可をおとなしく待ったりせず、反戦を呼びかけるイニシアチブをとったのだ。チュニスで、ラバトで、アルジェで、誰よりも大きな声で女性たちは戦争への恐怖を叫んだ。男性たちが大物やら小物やらさまざまな権力者への根回しなしにはどんな行動をとるかも決められないでいるうちに、女性たちは先んじて座り込みやデモ行進を組織したのだった。（中略）民主主義と人権擁護の司祭、（すなわち）西欧国家の指導者たちと国連の高官らが指揮するこの暴力が、これまでよりももっと原始的で破壊的な他の伝統、他の儀式へと引きずり戻すような儀礼の時代の到来を予告していると感じたのでよけいにアラブ女性は犠牲祭の羊のように断末魔の声を上げたのだろうか？

——『イスラームと民主主義』ファーティマ・メルニーシー著　私市正年、ラトクリフ川政祥子訳ここで女性性の優位を殊更《ことさら》に説くつもりはないし、母性への全面降伏を掲げるつもりもない。またそれを断じることも今もこの先も出来そうにない。たぶん、「女性」とか「男性」とかいう言葉を用いるので、人間としてどちらかの性に属する私たちは、なかなか客観的にこの言葉を使いこなせないのだろう。母性や父性にしても同じことだ。本当は、どちらかの性に必ずしも固有なものではなく、様々な条件が絡《から》み合って、女性にも男性にも発現しうるものなのだろう。

例えば母性のエネルギーは、あらゆるところで生産的にも破壊的にも、ポジティヴにもネガティヴにも現れうる。または全く現れない。そして女性が社会的に期待される場で（例えば育児の場で）、それが、自分の母性が、「現れない」ことについて本来他者から責めを負うものではない。それはあくまでも個人的な歴史の必然に属するものだからである。ただ、そういう母を持った子は苦しむ。一生を苦しみ続ける。が、それも結局は当事者の問題である。当事者だけが、その一生に落ちた陰影を、ニュアンスのあるものにすることができる。その母ではない。

そして私もまた、今、この現代の、リアルタイムの、どうしようもない「世界の成り行き」の当事者の一人であるのだった。……しようがないなあ。

傍らをゆっくり通り過ぎて行く小学生の集団の中で、群れから離れ気味になって歩いている女の子がいた。友だち同士のふざけ合いや、楽しそうな会話の輪には入らないで、一人で漂っているような子だった。その子が（もちろん、他の子のように気軽に私に声を掛けてくることはなかった）何度か私をちらちらと見るたび、私は微笑んで軽くうなずいた（怖がらせず、気味悪くない程度を心がけつつ）。その子は最初無表情だったが、何かを確かめるように私を振り返り続けた。その集団が行き過ぎて、角を曲がって見えなくなる前に、最後を歩いていたその子は、もう一度振り返って私を見た。私は道路を渡る好機をいくつか飛ばして待っていた。多分最後でこちらを振り返るだろうその子を見送るつもりだった。私は大きく手を振った。その子は一瞬はっとしたようだったが、思わず、といった懸命さで手を振り返した――何度も何度も。

……そのとき、私はあの子になっていて、私に微笑んでくれたのはどこからか来た異国の人だった……。

母性的なものに縁遠かった人間であっても、場合によって、人は――男性も女性も――意識的にでも、行きずりにでも、母性を振る舞うことは出来る。そして時にそれは人を救う。
たとえそれが滅亡に至る道行きの途上であっても。

II

ハッサン山は標高三千二百メートル、奇岩で有名なカッパドキアの地は、この山と三千九百メートルの標高を持つエルジェス山に挟まれるようにして拡《ひろ》がっている。高地である。このハッサン山の近くに、シヴィリヒサールというこれもまた高い標高に位置する村がある。バスを降りるとどこまでも突き抜けるような空気の清涼感に、思わず空を見上げて天の高さを確認した。ポプラをたおやかな少女のように細く頼りなげにした水ポプラの木が、すっかり葉を落として、まるで西洋箒《ぼうき》のように小枝まで真《ま》っ直《す》ぐ空へ向け、うねうねと続く凸凹の道の両脇《りょうわき》に林立している。午前中の陽の光が、震えるようなその小枝を通してきらきらと辺りに放射される。標高が高いせいだろうか、空気がこの世ならぬ透明感を漂わせている。こだまする牛の声と雄鶏《おんどり》の声。崩れた石垣の向こうには敏捷《びんしょう》そうな体軀《たいく》の鶏が、柔らかな草を啄《ついば》んでいる。

やがて真昼のエザンが響き渡る。このエザンは、昔ギリシャ正教の教会だったモスクのミナレットに取り付けられた古びた拡声器から流れてくる。

この村の家々は、その昔ギリシャ人の村だった頃そのままの、ギリシャ風の建物。百年近く前、トルコに住むギリシャ人たちは、ギリシャに住むトルコ人たちと交換で、漸次自国へ送還されていった時期があった。住むものがいなくなったこのギリシャ人たちの村に、教会ごと受け継いで、トルコ人たちが住み着いたのだ、とこれは、ガイドが説明してくれた知識。そう思って見るからだろうか、このモスクの前庭や、中庭などの植栽、石畳の風情《ふぜい》は、どことなくイタリアの田舎の、中世からの修道院のもののような、土地に馴染《なじ》んだ感じがある。

中に入って見学させてもらう。高い窓に、鳩《はと》がとまっている。どこからか潜り込む穴があるのだろう。元はキリスト教の素っ気ない伽藍《がらん》、それがイスラームの礼拝用の絨毯《じゅうたん》が飛び飛びに敷かれ、アラビア文字がカレンダーのように壁に躍り、何だか子どもが一生懸命つま先立ちしながら部屋の模様替えをした、という内部の印象である。信仰の接《つ》ぎ木。こうしてみると、クリスチャンもムスリムも、元々は同じ神を奉《たてまつ》る、様式のちょっと違う宗派で、大した違いもないような気がしてくる。山間《やまあい》にこだまする鶏や山羊《やぎ》の声の方が、よほど不動不変の確かなもののような気がしてくる。

入り口の方で人の声がして——会話の内容は分からないけれど、中に遠来の客が来ているよ、という申し送りのようなものだろう――はにかみと好奇心と少しの緊張を体全体に漂わせた女性が入ってくる。そして一生懸命説明しようとしてくれる。ガイドがそれを通訳する。おかげでこの村の歴史や、教会の様式など比較的よく分かった。けれど、ガイドを通すと、急に目の前の相手がすーっと遠ざかっていくような妙な感じがする。この青年ガイドは気さくだったが、植物の名前などにはあまり興味がないらしく、私が訊《き》いてもほとんど答えられなかったり、ナショナリスティックなところも大分あって、オスマン・トルコの残虐《ざんぎゃく》な仕打ちに抵触するようなところは、見事に無視されていった。それを確認しようとする私の質問も、頭から否定する。いかにも不機嫌で声高に。歴史上の出来事を、そのまま現代トルコの印象と重ねるわけもないのに、と、私にはそれが不満だった。もちろん、私だって外国から日本に来た人にはあまり旧日本軍の残虐性について積極的に話す気にはなれないだろうとも思ったが、それでも訊かれたら、少なくとも自分の知っている限りは誠実に答えられると思う。この人はトルコの優秀な大学で教育を受けた青年、ということだったが、本当に歴史を知っているのか、プロ意識が低いのではないか、と思ったり、いやいや本当に知らないのかもしれない、どこの国でも自国の歴史教育というものがそもそも眉唾《まゆつば》ものなのかもしれない、私の歴史の記憶だってどこまで信憑性《しんぴょうせい》のあることやら、と思ったり。

彼に通訳してもらうとなるほど知識の総量は増えるが、一人で歩き回り、言葉の通じない相手と対しているときと違って、何かが決定的に欠落していった。それは何なんだろう、と、モスクの外のベンチに座り、日向《ひなた》ぼっこをしながらぼんやり考えた。

コンヤでもそうだったが、どこの町でも、モスクの中では、祈りの時間には、決して声高にしゃべって邪魔してはいけないが、その時間帯を外れていると、かえって外にいるときより土地の女性と交流がもてた。トルコの地方の女性は忙しくて、モスクにいるときぐらいしかゆとりの時間がないのである。そのとき、片言のトルコ語を使えば、向こうは途端に目を輝かせ、ワーッという感じで話してくれるので、そうなるとこちらは全くお手上げになる。話が通じると期待を持たせてしまったのだ、と申し訳ない気になる。ひたすら、わからないのよ、ごめんなさい、ということになる。お互いがしゃべっている言葉を分かりたいと思う欲求は、誰しも強く持つものだ。そのうち、私は一人のときも片言のトルコ語を使うのをやめた。その方がいいような気がしたし、結果的に良かった。だって、お互いに聞きたいこと言いたいことはただひとつ。

……見慣れない顔ね、遠くから来たのね、まあ、よく来たね、あなたに会えて嬉《うれ》しい。

……遠くから来たのです。この地球上で、あなたに会えるなんて、奇跡、なんて嬉しい。

具体的な言葉がわからなくても、お互いちぐはぐなことを言っていても、ようするに、笑顔や身振りで、この気配が相手に通じればいいのだ、この親密さのレベルでは。なまじ具体的な言葉の意味が分かってしまうと、どうでもいいような細かいことに注意が行ってしまって、そういう「本当に伝えたいこと」は通じなくなってしまう（例えば、私がイスラームのナマス——一日五回の祈り——について、もしかしてそれは意識的に生産性を落とし、「進歩」の加速度を抑える、非常に優れた仕掛けかもしれない、と呟《つぶや》いたことに対し、ムスリムガイドの彼はどうやらそれをイスラームへの侮辱と取ったようだった。すでにいろいろと行き違いが重なった後のことで、私にはもう、その誤解を解こうとする気力もなくて、私たちは実はそれ以来気まずいままだ）。

自分の言いたいことの気配を伝える、きっとそれがコミュニケーションの最上の部分の一つなのだろう。私は言葉というものをとても大事には思っているが、ときどき、人が言葉を持ち始めたと同時に、滅亡への道を加速させてきたのではないかという気がすることがある。けれども今更言葉を手放すことは出来ない。だから、これも、しようがないなあ、だ。言葉を使わず分かり合えた気になるとき、というのはこういう

「しようがないなあ」的「寄り添い」の気分に満たされているときだろう。

確かに言葉は扱いに困る、厄介な代物《しろもの》だ。けれど私は言葉という素材を使って、光の照射角度や見る位置によって様々な模様や色が浮かび上がる、物語という一枚の布を織り上げることが、自分の仕事だと思っている。ただ作品だけを出してゆく、そういう職人でありたいと思ってきた。そのためにはこのどうにも当てにならない言葉というものを信じてやってゆくしかない（それはその「当てにならなさ」をどこまで活《い》かしてやれるか、という逆説的な世界になるのだが）。だからより確実性の高い情報も必要だ。時間の限られたこの旅の要所要所では、ガイドの言葉による説明や解説を請《こ》わなければならない。

私は植物のことが知りたい、我ながらそれは病的なほどに。だからしつこく訊く。最初は、ああ、僕、あまり植物に詳しくない、ごめんね、ぐらいの反応が、私の偏執的なたてつづけの植物に関する質問で、すっかり嫌気がさしているのが見ていてよく分かる。「こっちは金を払っているんだから」というような態度だけは絶対にとりたくないが、それでも、質問する側がこれだけ気を遣って遠慮しなくてはならないのはおかしい、とこちらも釈然としなかったり。……最初の質問であなたが植物の名前に詳しくないのはよく分かった。でも次からの質問は、その植物にまつわることで、名前ではない。私はあなたの無知を暴《あば》くために質問しているのではない。次から次へと訊いていったのは、どこかであなたの生き方や興味の範疇《はんちゅう》と、重なればいいと思ってのこと。

この気持ちが伝わらない。

全地は同じ発音、同じ言葉であった。時に人々は東に移り、シナルの地に平野を得て、そこに住んだ。彼らは互いに言った、「さあ、れんがを造って、よく焼こう」。こうして彼らは石の代わりにれんがを得、漆喰《しっくい》の代わりに、アスファルトを得た。彼らはまた言った、「さあ、町と塔とを建てて、その頂を天に届かせよう。そして我々は名を上げて、全地のおもてに散るのを免れよう」。時に主は下って、人の子たちの建てる町と塔とを見て、言われた、「民は一つで、皆同じ言葉である。彼らはすでにこのことをし始めた。彼らがしようとすることは、もはやなにものもとどめ得ないであろう。さあ、我々は下って行って、そこで彼らの言葉を乱し、互いに言葉が通じないようにしよう」。こうして主が彼らをそこから全地のおもてに散らされたので、彼らは町を建てるのをやめた。これによってその町の名はバベルと呼ばれた。主がそこで全地の言葉を乱されたからである。

――創世記一一・一―九

これがそもそも、地上の人間たちが異なった言葉をしゃべる理由なのだ、と聖書は理由付けし、それが神の、思い上がった人間に対する罰のように言われてきたけれど、もしかしたら、これは、それぞれ異言語を持つということは、自分ではブレーキを利《き》かせることの出来ない人間を哀れんだ、神の恩寵《おんちょう》としてとらえる方が、極めて現代に即した解釈なのではなかろうか。

……彼らがしようとすることは、もはやなにものもとどめ得ないであろう……。

ドミノ倒しというゲームの用意をしているときに、何かの拍子にまだ完成していないのに最初のコマが倒れて次々に、それこそあっという間に加速が付いて、全部倒れてしまうことがある。そうならないために、或《あ》る一定の間隔を置いてストッパーを設置する。その間隔内で悲劇が起こっても、他の部位に伝染させないためだ。異なった言語を持つ、ということの意義は、或いはその辺にもあったのかもしれない。ダイレクトに加速を伝えない、絶縁体のような役割をする。理解の難しい異言語の存在を、私たちはもっと敬虔《けいけん》かつポジティヴに受け止めてもいいのかもしれない。

今回、ガイドは日本語を使い、それである程度私たちの意思の疎通《そつう》は図れたが、互いの人間性には疑問を抱く結果になってしまった。それは憎悪《ぞうお》にはほど遠いものだったが、ネガティヴな感情には違いなく、言葉が通じなければかえってそういうこともなかっただろう。

この旅行の間中も、各地で頻発するテロのニュースやアメリカのイラクに対する強硬な姿勢、発言の数々が耳に入ってきた(爆撃自体はまだ始まっていなかった)。

アメリカという国は、当初様々な人種を受け入れて民主主義を実践しようという、壮大な実験場のような国だったけれど、そしてその実験は失敗に帰した、とここに至ってもまだ断言するつもりはないけれど(まだまだ実験の途上にあるのだ)、言葉が通じ合えばそれで分かり合え(た気になり)、私たちは本当に親和的な共同体が営めるのか、という疑問は、この実験の経過を見る限り、どうしても拭《ぬぐ》えない(もちろん英語を話せないアメリカ人たちの存在もあるが)。

かつてないほどグローバルなこの時代に生み出された、知れば知るほど違いが浮き彫りになり、嫌悪感が増す、という、どうしようもなく生理的なアンヴィヴァレンツを基軸とした、人種憎悪の巨大な負のエネルギーは増大するばかりではなかったか。民間のレベルで言えば（政治的な思惑《おもわく》は別にして、という意味である。この国民感情という、とらえどころのない、しかしすさまじいパワーを無視しては、結局のところ政治は動かないし、だからこそ、それが意図的に操作されがちなのだ。全《すべ》てはここが土台、ここからが第一歩、ここにおいた焦点から常に大きく離れないようにしていこうと思う）、親和的に共感を育《はぐく》む、ということには必ずしも言語を必要としないのではないか。

例えば同じ家族内の成員でも、互いがまるで異なる言語体系の中に生きていることは間々ある。その個人の生きている文化が、語彙《ごい》の世界が、コンテクストが、他の家族のメンバーとまるで重ならない、ほとんど重ならないことが。そういう場合、言葉を尽くして語り合い、分かり合おう、とする努力はほとんど不毛である。むしろ言葉を使えば使うだけ、互いの生きている世界が遠ざかり、その距離感に唖然《あぜん》とし、絶望と空《むな》しさを覚えるのだ（精神科医の神田橋條治《じょうじ》は、その場合はただ、一緒に黙々と何かの作業をする、草むしりでも料理でも、そういうことを勧めている。それによって、「一緒になる」という生々しさを避けつつ、行為の場の中に、その二人或いは三人が融《と》け合っているようなファンタジー域が生じ得る、と）。

外国語を学ばねばならない、というプレッシャーはまた、ほとんど強迫観念のように日本人に付きまとうけれども、徹底的に分かりたいと思うのは、征服したいという衝動とほとんど同じなのではないか。かつて西洋人が自然を前にしたときに起こしたような。そして家庭内においても、また。それは、何と、傲慢《ごうまん》であることか。そしてこの「傲慢」の罠《わな》は、もう、日常生活の至るところに張り巡らされているのだ。その一番の弊害は、ものを見えにくくすることだ。

ここが観光立国であるトルコで、しかも他のイスラーム国より遥《はる》かに宗教的な縛りが緩い、という甘えもあったのだろう、地方の女性の働く姿に胸を突かれ、幾度となくシャッターを切った。彼女たちがヘジャーブ姿であったにもかかわらず。いや、それだからこそ、胸に迫るものがあったのだが――いやいや、どんなに正当化しようと、私はやはり、彼女たちを自分の理解のどこかに位置づけしようとしたのだ。あるとき、うっかりカメラを向けた女性の、凍り付いたような表情にハッとした。そして傲慢な観光客そのものの自分の姿に、頭を抱えんばかりの自己嫌悪に陥った。この私！　よりにもよって、自分はヘジャーブの彼女たちの側に立っている、と常々思っていたはずのこの私が！　彼女たちは生活しているのだ。観光客の不躾《ぶしつけ》なカメラに肖像権を侵害されるいわれはどこにもないのだ。あの視線に出会うまで、私には何も「ものが見えて」いなかった。そしてこの程度の意識で、彼女たちの内面を分かったようなことを書いてきたなんて……。フィールドに下り立った調査者じゃあるまいし、この傲慢さといったらどうだろう。

ガイドは、今まで私が彼女らにカメラを向けていても、たしなめることもなく無表情だった。たぶん同じムスリムとして彼女らの痛みを今までずっと共有してきたに違いない。それでも何も言わなかったのは、観光で外貨を稼がなければならないのだ、という開き直りにも似た感情だっただろう。私の態度は彼らにずっと軽い屈辱のようなものを与えていたのだろうか。こういうことにこそ、彼はもっと私に不機嫌であるべきだった。いや、もしかしたら彼は充分に「こういうことに」不機嫌になっていたのかもしれない。彼を責めてもしようがない。彼女たちの気持ちを、何も「分かって」いなかったのは私の方なのだから。

——あんなにカメラを向けるべきじゃなかった。イスラーム国で、そういうことをするのはすごく失礼だって、どこかに書いてあったのに。

私は反省し、しゅんとして彼に呟いた。彼は、おや、という表情で私の顔を暫《しばら》く見つめ、まあ、ねえ、とか口をもごもごさせ、いつものようにすっとその場を離れた。

私はしおれて、日なたに寝そべっている痩《や》せ犬を見つめる。

いい年をして、いつまでも何かあるたび恐縮して恥じ入っているのは、情けないような気がすごくするけれど、もうここまで長年「自分」をやっていると、諦《あきら》めも湧《わ》いてきて、開き直って最後までこのまま行くしかない、とも思う。羞恥心《しゅうちしん》、というものが、世の中のあちこちに周到に張られている、「傲慢」の罠に引っかからないための、せめてもの手立ての一つになるような気もして。それともこの開き直りもまた「加齢に伴う」属性の一つなのだろうか。メンタル・タフネスとは「面《つら》の皮の厚さ」のことか。いやいやそっちの迷路には入るまい。恥をかくことより、ものが見えなくなることの方がもっと怖いのだから。

けれど、やっぱり、ああ、何て馬鹿《ばか》なんだろう。しようがないなあ……。


写真を巡る葛藤《かっとう》で、思い出したことがあった。

二十数年前の冬。英国から一人で、欧州へ向けてドーバーを渡った。当時はまだ伯《ベル》林《リン》には壁があり、広場でブランデンブルク門をぼんやりと見上げた(あのとき、まさかそれが崩壊するなんて、夢にも思わなかった)。銃痕《じゅうこん》の残る西伯林の駅から、西ドイツの他の地方へ向けて乗った列車は、欧州の東の外れからすでに長い旅をしてきた途中だった。向かい合わせの座席に、母親と四、五歳ぐらいのかわいらしい子どもが乗っていた。鞄《かばん》ともズダ袋ともつかない大きな荷物がいくつも荷台に上がっている。ロシアの寒村から出てきた、というような素朴なセーターとスカート、母親はスカーフを外さない。たぶん、ポーランド辺りから乗車してきたのだろう。怯《おび》えたような、ひどく疲れた顔をしている。子どもたちは不安そうで、必死で母親に抱いて貰《もら》いたがっている。母親はそれどころじゃない。自分も不安で打ちのめされそうなのだ。小声で叱責《しっせき》する声が、今にも涙声になりそうだ。子どもたちはますます泣きたくなる。当時、ポーランドには戒厳令が敷かれていて、亡命者が続出していた。私はその、子どもたちの愛くるしさに秘《ひそ》かに目を見張っていた。陶器のような白い肌、黒い大きなつぶらな瞳《ひとみ》。そういう状況にあっても、その子たちは私と目が合うと、恥ずかしそうにでも必死で微笑《ほほえ》み返すのだ。まるでそれが、今自分に出来る精一杯の幸福への道であるかのように。おそらく日本人など見るのは初めてだったのだろう。そのことへの照れくささと、これ以上の不幸は耐えられない、とりあえず、手近な好意だけでも引き出したい、その切羽詰まった健気《けなげ》さが胸を打った。この母子《おやこ》に何があったのか、これから何が待ち受けているのか私は知らない。言葉の通じない私にはその不幸を知る術《すべ》もなかったのだった。何とか力になれないものだろうか。でもそんな幻想を不遜《ふそん》だと、すぐさま否定せざるを得ないほど、人間存在としての彼女らの絶望に近い不安は、そそり立つ岩のように圧倒的だった。列車の振動音だけが空しく続く。窓の外は雪に覆《おお》われた東独の大地。私はバッグから折り紙の束を取りだした。そしてゆっくりツルを折る。最初は何事か、とちらちら見ていた子どもたちも、できあがったツルを手渡されると、目を輝かせる。母親の顔にも疲れた笑顔が浮かぶ。それから、目的地に着くまで、私はただ黙って延々折り紙を折り続けた。色とりどりのそれは、百に近かったと思う。

私は最後に、どうしてもその子どもたちの写真が撮りたかった。けれどそれはどこか後ろめたいものだった。人の不幸をオブジェ化しようというのか、というような。私は彼女らの必死さや美しさに尊厳を感じたからこそ、それを残したいのだ、とか、いろいろ自分をなだめてはみるものの、それでも後ろめたかった。結局その不幸は私から遠いものなのだ。もし自分の家族がそういう状況に陥っていたとして、私はいくら記念だと思っても写真に収めようなんて決して思わないだろう。それを思えば、私はやっぱりそういうことはすべきではない、と思ったり。最後はこれで別れだと思うとどうにも我慢できなくて、結局身振りで写してもいい？　とことわって撮ったのだが、今でもそれを見るたびに何とも言えない切なさと愛《いと》おしさがこみ上げてくる。同時に自分の無力感も。
　言葉が通じ合ったとしても、結局私にはあのとき、あれ以上のことは出来なかっただろう。それどころかもっと、傷口を広げるような同情の仕方をしていたかもしれない（これを書いている、今のイラクの状況に、あのときの母子の姿が重なる。そして同じ無力感が私を襲う）。

　村を出て、更に高地へと、山をグルグル大きく車で螺旋《らせん》状に登ってゆく。盆地を挟んでハッサン山が神々《こうごう》しく眼前に立ち現れる。が、もう見上げる位置ではなく、対等に眺める、という高さだ。登るだけ登り切ると、そこは草原のような平らな草地で、道から外れた遥か向こうに、崩れた建物の残骸《ざんがい》のようなものが望める。あれが「赤い教会」。客を連れてきたのも初めてなら、僕自身も来るのは初めてです。ここからは歩くより他に手立てはなさそうです、とガイドの彼は言う。車を降りて、草地に足を踏み入れる。こんな僻地《へきち》にも山羊《やぎ》の群れと羊飼いとおぼしき人影が見える。高く青い空。紫外線の強さで、帽子を被《かぶ》らなければまともに目が開けていられないぐらい眩《まぶ》しい。草原には他に建物がないので、ただひたすら「赤い教会」を目指して歩く。だんだんハイキングのように気持ちが軽くなる。彼も日本語で冗談を言ったりして、顔つきが晴れ晴れとしてくるのが分かる。教会が近づくと、つまり草原の真ん中に入ってゆくと、羊の番をする祖母についてきたらしい、五、六歳の子どもたちが数人、はにかんだ笑顔を浮かべて遠巻きに此方《こちら》を眺めている。笑顔を返す。笑い声が上がる。スカーフをしたおばあさんはその先に座っているが、私とは視線を合わせようとしない。彼女の日常にとって私は、きっととんでもない闖入者《ちんにゅうしゃ》なのだろう。

「赤い教会」は、トルコに現存するキリスト教教会の遺構としては最古の、五、六世紀の建造物である。ほとんど壁が残っているだけの、遺跡というよりも残骸の内側に入ると、アーチ形の窓が、二階部分にもついており、天井はかなり高かったものと推察される。その窓枠だった部分には長い年月に土が溜《た》まっているものと見え、カヤツリグサの群れが心細げに風に吹かれている。そこへ鳩《はと》が数羽、止まっている。本物の、吹き抜けの天井。何と透明感のある薄青の空。足下には、歩けないほどではないがさまざまな丈の草がぼうぼうと生えており、蓬《よもぎ》こそなかったものの、「蓬生《よもぎう》」と呼びたくなる荒れ果てた風情《ふぜい》だ。あちらこちら、コロコロした糞《ふん》がいっぱいだ。羊飼いが、天候の急変したときとかに、ここに山羊や羊を避難させるんでしょう、と彼が説明する。高地スコットランドの感じがして、何だかしみじみと懐《なつ》かしい。吹き抜ける風すら、同じ乾いた清涼感がある。この教会の感じは、東アナトリアのアルメニア人の教会によく似ている、だから、アルメニア人修道士が建てたもの、と言われています。と彼が（たぶん直前に）調査済みの知識を披瀝《ひれき》する。それが本当に不思議なんです、と私も抱いていた疑問を口にする。だって当時もアルメニアとここの距離はとてつもなく離れている、しかもこんな高地に。アルメニアがローマより早く、史上初めてキリスト教を国教として認めたのは四世紀初頭、と聞いていますが、こんなところに教会を建てて、布教活動をしていたとは到底思えない、まさか山羊や羊に……と冗談めかすと、修道院を建てたのでしょう、この辺りに。と、彼は真面目《まじめ》な顔で低く言う。彼もあまり自信がないのかもしれない、と思いながら、カッパドキアの人里離れた岩壁を苦労して掘っていったようにわざわざこんな不毛に近い荒野を選んで？　何か、遺跡でも他にあるのですか？　としつこく聞く。昔はこの辺り一帯に修道院跡があったようですよ、今はうーん、跡形もないけれど。と、彼は辺りを眺めて何でもないことのように呟《つぶや》く。これは初耳の情報だった。何でそれをもっと早く言ってくれないのだろう、ああ、それはいい、とにかくそのことが分かっただけで、と私はすっかり嬉《うれ》しくなる。古代の修道院の形態について、とても興味があったのだ。自分と神との関係以外をすべて拒絶した人間の在り方について。彼らが、そのために、他でもない「この地」を選んだというのなら、何か分かった気がした。

遺跡を出ると、さっきのおばあさんがまだ座っていた。彼はしゃがみ込んで、しばらくおばあさんと会話を交わしている。そして立ち上がると、私に向かい、近くの実をつけた低木を指さし、これはアルチ。食べられます。と言って、その実を採ってくれた。これは、午前中、私が訊《き》いて、彼が答えられなかった植物だ。ありがとう、と答えて、それを口にした。サクランボ大のその実は、さくさくとリンゴの食感、味はコケモモのようだった。日本にありますか？　と、彼は真剣に訊いた。プロの通訳として、それに相当する日本語名を覚えておかなければ、と思ったのだろう。いいえ、日本では食べたことがない。食べられて嬉しい、と答えると、彼はそれを素早くそのおばあさんに通訳し、彼女は初めてそこで私に笑顔を向けた。

もっと深く、ひたひたと考えたい。生きていて出会う、様々なことを、一つ一つ丁寧に味わいたい。味わいながら、考えの蔓《つる》を伸ばしてゆきたい。例えば、共感する、ことが、言葉に拠《よ》らない多様性に開かれてゆく方法について。最終的にはどうしても言葉で総括しなければならないのだけれど。何というアンヴィヴァレンツ。でも止《や》められない。なぜなら、全《すべ》て承知の上で、それでもなお私たちは、お互いを分かりたい、と欲して止まないものなのだから。それがどういう手段を選び、どういう馬鹿な結果を導こうとも。ああ。ああ。しようがないなあ。

そのとき突然強い風が吹き、私の帽子が飛ばされた。彼は思わず手を伸ばし、それを捕まえようとして泥地《でいち》になっている川の跡に落ちてしまった。子どもたちとおばあさんと私、それに起きあがった彼自身の笑い声が、高い空に響いて、巡る風が彼方《かなた》に運んでいった。それは遠くの山肌で呼び合う山羊の声と、やがて織り混ざっていっただろう。

大地へ

いつもそこにあったものなのに、改めてその存在にはっとさせられることがある。例えば梅雨のまっただ中、川沿いの道などを歩いていて、足下に薄手のピンクのハンカチーフのようなものが一面散り敷かれているのを見たとき。思わず頭上を見上げると、そこにはネムノキが薄紅色の夢のような花を、樹冠いっぱい煙るようにつけている。

幼い頃読んで忘れられない絵本に、ある校庭の隅のネムノキの話があった。そのネムノキは昔、モンゴルの草原の少女で、戦乱の中数奇な運命を辿《たど》り、日本の小学校の校庭にいる。人間の少女だった頃の髪飾りの名残として、花を咲かせているのだという。その半分夢の中のような美しい物語のせいで、ネムノキはまた私にとって特別の木になった（こういう仕事に就いていて、当時の児童文学に詳しい方々にお目にかかる機会も多くなったが、まだどなたもこの絵本に心当たりがあるという方がおられない。また、知らない間に、勝手に私の脳が物語を創《つく》ってしまったのだろうかという不安を抱えている）。

ネムノキが生育地として好む場所は、たいがいが川に面した土手のようなところだ。他の木々と群れずに、川寄りにすっと傾《かし》ぎながらも孤高を保っている、というその風《ふ》情《ぜい》に、あ、ネムノキだ、といつもしばらく視線を止めてじっと見つめてしまう。そういうことを数十年繰り返しているうち、いつしか花をつけたこの木を見るたび、ああ、そうだったそうだった、と、幼い頃から今までのこの時期の、細かい水の粒子をいっぱいに孕《はら》んだ空気と浸透圧の関係で、自分の内側との境界が怪しくなるようなひんやりした感じを、その折々の情景を、数十年分全部一緒に折り畳んで、さあ、と、目の前に差し出されたように思い出す。

アガパンサスの茎がすうっと立って淡い青紫の花をつけ、タチアオイの花もてっぺんまでもう少し（タチアオイの花は下から上へ花をつけてゆき、最後まで咲ききると梅雨が終わると言われている）、この梅雨が明けたら、本物の夏がやってくる。

その梅雨の後半、ネムノキは土手に、此方《こちら》と彼方《あちら》の境界の線上に、ぼんやりとした夢のような花をつけるのだ。そしてその下を通ると、その綿菓子のような花が、儚《はかな》げな薄紅色を大地に返してゆくのを見る。美しい夢もまた、真摯《しんし》な祈りに似て大地を構成してゆく一部になる。花の還《かえ》る大地。

酵母菌に関することを調べていて、土壌の分解に興味を持ち、しばらくは犬の散歩にもことさらに腐葉土の柔らかく積もる森の道を歩いたりしていた。

この大地の下で、と想像する。

ミミズやヤスデたちがせっせと有機物を分解し、酵母菌や糸状菌、放線菌、乳酸菌などの微生物たちも、互いに牽制《けんせい》しあい、かつ連動しながら、ある時はそれが相乗効果を生み、ある時はまた一部が優勢になり他を劣勢に追いやったりし、まあそれでも大体、常は安定したバランスを目指し、などしながら有機物を発酵分解、動植物が吸収しやすい様々な物質へと変換してゆく。それは場所によって結構個性があるので、育つ植物もそれぞれ同一種でありながら個体差が生まれる。それを食す動物もまた。大きな循環の中で、大地はやはり、終点であり出発点であるような気がする。基点だ。歩きながら時折、トントン、と踏み固めたり小さくジャンプしたりする。

七月一日夜、長崎で起こった幼児殺害事件は全国に大きな動揺を与えた。そして加害者が中一の、ごく普通の家庭の少年であったということが分かったとき、その動揺は今度は個々の人々の心に深く食い入っていった。

私は、正直に言って、「やられ」てしまった。悲しみと、無力感に。特に、加害者の少年が本好きだと聞いて、多少なりとも児童文学に関わってきたものとして（まさか自分がこれほどまで「使命感」を持っていようとは、私本人も思いもかけないところだったが）、一体何をやっているのだか、と、日常生活の間隙《かんげき》を縫って、絶えずそのことについての、重く深い「悲しみ」が襲ってきてやりきれない。

私たちの社会はここまで来たのだという、それはあまりのダメージなので、そのことの悲惨を深く心に受け止めることを、無意識に拒んだ人々も当然いただろう。

何か事件が起こったとき、それに関係する公職にある人たちは記者会見を開く。責任の所在を明らかにすると共に必要があれば謝罪し、遺憾の意を表するために。しかしそれは時に、今「本当に起こっていること」との間の深い断絶を生む。

教育委員会や学校側代表のコメントは、「これからは心の教育に力を入れたい」「命の大切さを生徒に教えたい」、等々。加害者が判明したそのすぐ後から、「我々は再発防止のためにこういうことを心がけている、不幸な事件だったが、これを糧《かて》にしてがんばります」というような、反省とこれからの対策について、の、型どおりの発言。

この事件によるショックを、まるでつるんと自分の外側で滑らせているようだ。ショックが、内側に入って心身共に参った感じが全くない。

犯人発覚の数日後、同じ長崎県長与町の小学校の教頭が、代理授業の際、忘れ物の多い子どもたちに対して「裸にして突き落とすぞ」という言葉を、冗談のつもりで（！）口にしている。それは奇妙に前述の発言と通い合う、「対象との距離感」のようなものがある。

続く政治家による「市中引き回しの上打ち首」発言。

更に七月八日には、沖縄の中学生による中学生殺害事件の、加害者被害者両方の所属していた中学校の校長が、事件前彼らの間にイジメがあった、という生徒のアンケート結果を受けて、「生徒のことを十分把握できていなかった。この結果を、これからの生徒理解に活《い》かしていきたい」と整然と語っている。

ここには、事件に本当に「関わっている」という感覚がない。何だろう、このリアル感のなさは。全《すべ》ての現象が皮膚の上をつるりと滑って行くような、乖離《かいり》感《かん》は。まるでプラスチックのような、現実感の希薄な世界。

あの場ではそういうコメントを出す以外にはないじゃないか、という意見もあるだろう。ではなぜ無理矢理そういうコメントを出す必要があるのか。誰のために。

うわべを取り繕うことにエネルギーをかけて、建物だけが立派な市庁舎を見るようだ。

いやいや、ものすごい時代のうねりの中に、大人も子どもも、否応《いやおう》なく巻き込まれている。その圧倒的な無力感が骨身に沁《し》みてきて、打ちのめされてしまう。

世の中が、個人に、「関わって」いない。

本当はこういう叙述——個々の発言を引き出した事情の特殊性を無視して、同じ傾向の色合いにだけ着目し乱暴にそれぞれ一緒くたに括《くく》り上げ、論旨のみ通してまとめ上げる、という力業は得手とするところではない。良くも悪くも、その発言が出るべくして出てきた、一つ一つの事例の（教育長や校長たちのそれであっても）それぞれの物語を手元に引き寄せて、ああ、そうか、と首をうなだれることが、私の「分」なのだ。糾弾することではなく。なのについ、分を越えたことをしてしまっている。

事件のもつ深刻さがあまりに強烈で、それを手元に引き寄せるのが、本当につらい。

それで気が付けば焦点を別なところにずらしてしまう。それはそれで、私の「感想」には違いないのだろうが、本当の「つらさ」からはかけ離れてゆく。

今年三月亡《な》くなられた吉見《よしみ》昭一氏は、京都周辺で開催される茸《きのこ》の観察会の指導者としてなくてはならない方だった。いかにも漢籍の素養のある近所のお爺《じい》さんといった媚《こ》びない温かみのある風貌《ふうぼう》で、森の朽ち木の傍に立っておられると、ご自身が茸の化身であるかのような錯覚を覚えた。私もファンの一人であった。その吉見氏が、ある時観察会総会の最後に(普段の会ではそういうお説教めいたことは言われることはなかった)、「最近の子どもたちは身の回りのことに興味を持たなくなった。こういう菌糸類は身の回りに沢山あります。自分のぐるりのことにもっと目を向けて欲しい」と言われ、私はその、「ぐるりのこと」という言葉に一瞬心奪われた。なぜなら私の興味のあるのはまさしく「ぐるりのこと」だったから。自分の今いる場所からこの足で歩いて行く、一歩一歩確かめながら、そういう自分のぐるりのことを書こう、と、私はこの連載のタイトルを決めたのだった。

私は今つらい、だからその「つらさ」のことについて書こう。

こういう事件が起きると、世間は驚愕《きょうがく》し忌避し、マスコミは加害者がいかに普段から異様で特異な人間であったか、とその周囲の具体的な証言を集めて流す。元々が異様な子であったのだと、世間をひとまず安心させ、見せ物のレベルにしてしまうのだ。まるでそれが、社会に深い傷を負わせまいとするマスコミ流の「癒《いや》し」でもあるかのように。

　本当にそれほど「異様な子」であったのか。

　なるほど、自分の要求が通らないとパニックを起こすなど、加害者の「奇行」はいろいろあげられてはいるが、普通と言わないまでも、それは保育の場では屢々《しばしば》見られる光景である。

「外を歩くときも母親と手を繋《つな》いで」「両親は溺愛《できあい》して」、とそれがさも異常さを表すことのように取り沙汰《ざた》されたが、加害者は小さい頃から、情緒不安定だ、と言われていたという。それなら、親の愛情が足りないのではないか、と権威筋からアドバイスされたことも十分考えられる。母親なりの精一杯の子育ての努力として、あふれんばかりの愛情を注ごうと努力したとしても不思議ではない。

「しょっちゅう、今何時？　としつこく訊《き》いてくる子だった」「母親がスケジュールをびっしり決めていた」、というのも、一人っ子だから、我《わ》が儘《まま》にさせず規則正しい生活を、と母親が心がけた結果に違いない。

「地域の活動への参加に積極的でなかった」、というのも、自分の子がなかなか他の子と協調性が持てない、子供会の集まりに出すのも気が引ける、と遠慮した結果だということも充分あり得る。

ちょっと想像力を働かせれば、彼ら親子の生活が、今の社会でそれほど異様なものではないということはすぐに分かる。けれどそれを認めることは、底知れない不気味な恐怖と、限りなく絶望に近い悲しみを引き受けることだ。

犯人発覚から数日後、ある県の中学教師が教室の生徒にこの事件に関する小テストを行なった。設問の中に、「犯人の少年は成績が良くおとなしくて切れやすい子だった。このクラスに同じような子がいるかな。いたらその子の名前を書いてみよう」というものがあり、集計の結果、書かれた名前をクラス全員の前で読み上げた。こういう「教育」が行われる社会なのである。そちらの方がよほど異様だ。親と密着している子は危ない、おとなしくて勉強のできる子は怪しい、など、本末転倒も甚だしい。

我々が本来感じているはずの、我々個人個人が構成して成り立っている社会に対する深い痛みが、中世の魔女狩りのように乱暴に的を絞った異端の追い回しにすり替わっている。その方がより安易に精神の安定が確保できるからだろう。

本当にリアルな「感覚」の不在。恐らく加害者の少年も。

リアルな「感覚」の不在は、しかし、同時に生体を守るために発動することもある。

被害者の葬儀で、自身もまだ少年のような若いお父さんの喪主挨拶《あいさつ》の言葉に、「明日からS君のいない生活が始まります。親子三人がんばって生きていこうと思います。S君見守っていて下さいね」といった内容のものがあり、これにも衝撃を受けた。……何でそんなことが言えるのだろう。地獄の苦しみのただ中だろうに、と。しかしすぐに彼のいる場所の、未《いま》だ人間が言葉で表現し得ない悲しみの光景に思い至り、粛然とする。

これもまた型どおりの挨拶だが、型どおり、というのは、本来こういうときのためにあるのかもしれない。言語に絶する苦しみの最中、文字通り言語化などできるわけがない。それを言わずにすますための「型」なのだ。けれど、いかにも決められた台詞《せりふ》をしゃべっているような、表情の乏しさ。全ての感情を麻痺《まひ》させているかのような無表情が痛々しすぎる。

テレビで遺族のそういう様子を見た直後、偶然電話があり、その会話の中でこの話題が出た。テレビカメラの前で喪主挨拶をさせられる痛々しさ、なぜあんなことをしないといけないのだろう、それどころじゃなかろうに、と呟《つぶや》いたら、電話相手の編集者のTさんは、

――僕の兄は一歳半で亡くなっているのですが、母は葬式には出なかったようですよ。逆縁、ということだからでしょうか、昔は、子の葬式には親は出なかったようです。

私はそういうことを全く知らなかったので、とても驚いた。でも、それはなんと当事者の気持ちに即した、心ある習俗なのだろう、と感心した。電話を切った後、周囲の年上の友人たちにそういう習慣について聞いてみるが、さあ、と皆首を捻《ひね》るばかり。葬儀社に電話してみたら、という提案を受けて、関西と関東の会社に訊いてみる。関西の方は、「妻に先立たれた夫は火葬場にはついていかない、ということが十年ほど前まではありましたが」。関東の方は「僻地《へきち》では確かにそういうことをしているところもあるようです」。どうも今ひとつはっきりしない。Tさんの周囲だけの特殊な「常識」なのだろうか、と（疑ったわけではないが半信半疑で）、この原稿の担当編集者であるSさんに電話で訊いてみた。曰《いわ》く、

――初めて聞きました。でもちょっと調べてみますね。

しばらくしてファクスが流れ、S社の『冠婚葬祭大事典』の一節がコピーされてきた。見ると確かに、そういうことが、「常識」として載っているではないか。妻に先立たれた夫、子どもに先立たれた親は、葬式に出ない、出ても火葬場には付いていか

ない、等々（もちろん現代ではあまり行われていない旨《むね》も記されていたが）。

更にご実家に確かめてくださったTさんからも追って電話があり、昔夭折《ようせつ》されたTさんの伯父上の葬儀に、そのご両親（Tさんの祖父母）がやはり出席なさらなかったのを、ご母堂は記憶されているそうだ。

『冠婚葬祭大事典』では、「逆縁」とは、親を看取《みと》るべき子ども、夫を看取るべき妻、がその任を果たさなかったことで、そういう者の葬式には出てやることはない、という理屈だ、と説明している。文字通り「先立つ不孝」、というわけだ。

私は今まで「先立つ不孝」というのは、子が先に死んで親を悲しませる、そのことを言うのだとばかり思っていたが、ああ、そうか、子どもには親を養う当然の義務があるとされているわけか、と軽いカルチャー・ショックのようなものを受けた。そういうことは、絶対的な義務というより、情愛と各自の事情との兼ね合いの問題だと思っていたので。けれど、私がそのことにショックを受けるということ自体、かつては常識だったという「逆縁」の場合の葬式事情について、訊いた人のほとんどが知らなかったということも、そういう儒教的な色合いが私たちの風土から急激に薄れていっているということなのだろう。

「逆縁」というのは、けれど人に耐え難い悲しみを与える。あまりの衝撃で、体が分解するかと思われるほどだ。儒教の教えの振りをしているが、その実は、何とかその悲しみを受け止め、日常という大地に還《かえ》していこうという、ささやかな先人の工夫なのではなかろうか。葬式に出席して一区切り付ける、というような考え方もあるが、子を喪《うしな》う、というすさまじい喪失感は、そういうレベルを遥《はる》かに超えているのだろう。周りには共感し同情する人々だけが全てではない、好奇心半分の心ない目もあるかもしれない、そういう人前から当事者を優しく匿《かくま》い、心おきなく悲しめる時間と場所を与える意味もあったに違いない。

葬儀の数週間後、被害者の少年のお父さんの、「まだ実感が湧《わ》かず、本当に起こったことのような気がしません」というようなコメントが発表された。どうしたってリアルはそう簡単には取り戻せない。

最初のお子さんを難病で亡くされた、Tさんのまだ若かったご両親の、悲しみや絶望もまた、どんなに深かったことだろう。その後生まれたTさんの育つ土壌の「培地条件」として、すでにその悲しみが溶け込んでいたのだ。そういうことはきっと歴史上数限りなくあり、けれどそれぞれが皆、他と比較しようのない個々の悲しみとして、深く胸に収めてきたのだろう。そして時間が経《た》つにつれ、やがて受け入れられもし、日常という大地を構成する成分の一つとして、しっかり組み込まれていったのだろう。

その微妙なニュアンスが、あるいはそこで育つ人の個性を育《はぐく》むこともあっただろう。

いつもそこにあったものなのに、改めてその存在にはっとさせられることがある。自分の立っていた大地への、社会への、無意識の信頼。被害者の親、加害者の親、双方のいる場所――が、音を立てて崩れた瞬間を思うと言葉もない。

大地は、そう、それを構成していた様々な成分がどんどん喪われて行き、以前のような確固たるものではなくなっていっているのだろう。昔から「確固たるもの」であった例《ため》しはなかったかもしれないけれど、明らかに今までとは別の種類の変化が起こっているような気がして、そういう社会で生きる子どもたちのことを思うと何とも痛ましくやりきれない。

長崎の児童相談所所長が、この事件についてどう思うかと訊かれ、絶句して、それから涙をぽろぽろと流し、「被害者も加害者も子どもじゃありませんか。十二歳の子が四歳の子を……児童相談所は全ての子どもを守る立場にあります……なのに……」。

彼女の涙を見て、ようやく生身の人間に出会えたような感慨があった。プラスチックの世界でそこだけ現実の感覚があった。

あれからすぐ、小学生の少女たちの監禁事件など、耳目を引く事件が起こったので、世間のこの事件に関する「熱」は急速に冷めてしまったようだ。この原稿が世に出る頃は、三ヶ月が経っている。「熱」は更に冷めているだろう。

まる一ヶ月経った八月一日、広島市の平和記念公園で、折り鶴《づる》十四万羽が観光旅行中の大学生に燃やされる事件があった。陳列ケース二個分、折り鶴約十四万羽が焼失した。

鶴を折ることは間々あったが、千羽鶴、というものを、私は今まで折ったことがなかった。独りよがりの押しつけがましさ、のようなにおいが感じられ、何か望みがあるのだったら、もっと具体的な行動をとった方が現実的だと思っていた。

願掛けの千羽鶴については、前述のSさんも私と同じように懐疑的であったが、

――でもね、娘が入院しているとき、学校のクラスの友人たちから折り鶴が届いて、それは嬉《うれ》しかったんです。

矛盾しているが、分かる気がする。こういう、人の念の籠《こ》もった「思いの集積」のような存在を、心のどの位相に収めていいか、私たちは分からないで戸惑ってしまう。そのときどきによって受け取る印象もまるで違う。けれどその存在感だけは、ひしひしと感じられる。

千羽鶴という存在の、密度の濃さのようなものを（それにどういう印象を持つにせよ）、その学生は感じ取れず、プラスチックのような世界観で、燃えやすい紙の集合体、と捉《とら》えてしまったのかもしれない。若《も》しくは無意識にその重さに耐えかねて、まるごと否定したい衝動に駆られたのかもしれない。

いずれにせよ、この事件は、ここ一連の事件と無関係のようには思われなかった。ニュースでそれを知ったときの、追い打ちをかけられたような空《むな》しさといったらなかった。

けれど長崎の少年のことが人ごとでないのなら、この学生のこともまた人ごとではない。学生の通っていた大学の学生たちが、平和記念式典に間に合うようにと折り鶴を折り始めた、と聞いたとき、十四万羽には到底届かないだろうな、と思いつつ、のろのろと手近にあった折り紙を折り始めた。外国を旅行するときに持っていくので、家には折り鶴用の折り紙が常備してあった。式典に間に合わせるための時間まで、まる一日もなかったので、どれだけ折れるか分からなかったが、とにかく手が黙々と動いてしまう。始めてすぐに、黙々と単純作業を繰り返す、これは、ほとんど意識を違う次元に持って行く、メディテーションの一種のようなものなのだと感じた。抱えていた空しさも、悲しみも、ただ黙々と引き受けて、ひたすら違う次元の扉を開こうとする、祈りの力のようなものが、自分を動かしているように感じられた。原爆で犠牲になった人々への鎮魂、長崎の事件の被害者S君への思い、加害者の少年の魂のために、それから、折り鶴を焼いた若者に代表される社会の空気のために。それは、単に可哀想《かわいそう》とか気の毒に、とかいうレベルではなく、何か全体の変容、別の次元への移行、彼らのために、そして彼らを含む、何かもっと大きい全体性のようなものへ開かれてゆくような感覚だった。

それまで千羽鶴を折ったことのない私には、それは初めての体験だった。「切れる」若者がいるのなら、しようがないなあ、と、社会のどこかが「繋いで」ゆけばいい、そういう気分が働き始めた。一万羽も集まればいいだろうな、と思っていたが、同じ様なことを、日本中のあちこちで始めていた人がいたのだろう、平和記念式典当日までには全国からその大学へ折り鶴が届けられた。

結局、総数は三十万羽を越したという。

少しずつ、少しずつやってゆけばいい。今まであった成分の喪われた大地なら、また、これまで考えられないような、全く違う方向からやってくる成分が加えられることも、充分考えられる。新しいそれが、従来の大地のバランスの中に収まって機能してゆくのには時間がかかるだろうし、眉《まゆ》をひそめるようなことも、しばしば起きるかもしれないけれど。

耐えられるだけ深く悲しんで、静かに自分の胸に収めていこう。そして少しずつ、少しずつ、土壌菌のように、自分の仕事を積み重ねて行こう。丁寧に、心を込めて。それがネムノキの花のように、儚《はかな》く見えるものであっても。

このささやかな文章もまた、どうかその大きな轍《わだち》を追ってゆく一つとなりますように。

目的に向かう

上空一万メートルぐらいのところ、薄く漉《す》いた和紙のような巻雲が、とても気持ちよさそうに西風に引っかかっている。大気は澄んで、キンモクセイの香も辺り一帯に漂い出し、それがいかにも遠出を誘う風なのだった。思わず深呼吸する。秋に浸りたい。それでその日は仕事をおいて信楽《しがらき》高原へ出かけた。家から車で一時間弱、秋口にはツリガネニンジンやクサボケの実などにも出会えるはずだ。昔なじみの友人に会いに行くような心急《せ》く楽しさで仕度をし、車を動かす。市街地を抜けて川を渡り、山間《やまあい》の道を行く。渓流沿いの小さな棚田は黄金色《こがねいろ》、土手は彼岸花で真っ赤に染まり、道端に車を停めエンジンを切ると、せせらぎと慎《つつ》ましい虫の音が車内を満たしてゆく。また少し行くと小さな集落があり、土蔵の白壁に、赤く色づき始めた柿《かき》の実が映えて美しい。冬枯れにはまだ早い土手の緑が秋の陽に柔らかく輝き、時間が止まってしまったようだ。やがて車は山を登り切り、湖の東側の山脈《やまなみ》を長々と走る街道に入る。そこから北に向かっていたら、方向指示板の右、「上野」の文字が、何だかとてもポジティヴに目に飛び込んできて、ついハンドルを右に切る。もちろん日帰りの予定、三十分も走ったら引き返すつもりで、上野市まで行き着けるとは思いもしなかったのだが、驚いたことにあっという間に車は伊賀《いが》上野に入ってしまった。半信半疑だ。道路は幅も充分でとても走りやすかった。昔から一度ゆっくり行きたいと思っていた伊賀上野に、こんな簡単に心の準備もないまま来るつもりはなかったので、内心すごく慌《あわ》てた。上野市の旧道の町並みはやはりとても良かったが、何か真っ当な手順を踏んで入っていないような後ろめたさがある。もともとが衝動的なエクスカーションだったのだ。そんなにゆっくりはしていられない。当初の目的が、危うくなりかける不安。

悪いことでもしているかのようにそそくさと町を後にし、往路とまったく同じ道を辿《たど》っているつもりが、またしても「信楽こっち」の方向指示板に惑わされ（いやそれはそれで正しいのだが）、旧道の暗い杉の木立の茂る葛折《つづらお》りの坂道を登ることになってしまった。これはきっと、芭蕉《ばしよう》も都への往来に利用した道に違いない、と心は浮き立つ一方、一体帰路にどのくらい時間がとられるのだろう、夕方までには帰りたい、犬の散歩もあるし、などと心の隅では焦《あせ》っている。しかし峠を登りきるとウルシの葉は真紅に、リュウノウギクやホトトギスが美しく道端を飾り、そういうことですっかり気分が良くなる。松茸山《まつたけやま》につき入山禁止、という立て札があちこちの山の小径《こみち》に立ててある。ただの入山禁止でいいのに、わざわざ松茸山につき、などと書いたらここがそうだと教えるようなものではないか、ええと、どうしたらいいだろう、「少々の嘘《うそ》ならそれも方便、人道にもとるというわけでなし」、と割り切れる人ならマムシ出没注意、というのがいいかもしれない、それとも……と一人で気を揉《も》む。やがて車は小さな集落に入る。民家の庭先のすぐ前を細く道路が走っているので、スピードを落とし、ゆっくりと歩くように走る。大抵の庭先に丈高いシュウメイギクや紫苑《しおん》、懐かしい鶏頭、百日草などまで揃《そろ》っていて、胸がじんとしてくる。子どもの頃は鶏頭や百日草を見て胸迫る思いをするときが来ようとはよもや思わなかった。親の敵のように嫌っていた。そんな忘れていたことまで思い出す。

道路脇《わき》にいた初老のご婦人に声をかけ、この道でいいのか訊《たず》ねる。私がとても不安そうに見えたのか、彼女は安心させようとするかのように、何度も頷《うなず》きながら、大丈夫です、このまま真《ま》っ直《す》ぐ行けば大丈夫、と力強く繰り返してくれる。礼を言ってまた車を走らせる。本当に懐かしい庭が多い。こういう家にはよく、ちょうどその人の精神に清《すが》しさを与えるほどの、程良い文学趣味を持ったお姉さんがいて、庭先で簡単に紫苑を手折ったりしてくれるのだ。鶏頭は嫌だわ、私コスモスが好きだわ、などと言ったりする、適度な自己主張を持って。または先ほどのように、手ぬぐいを被《かぶ》ったその家の主婦が庭先で何かを筵《むしろ》の上に広げ作業をしていて、道を訊《き》くと親切に腰を伸ばして立ち上がり、道まで出てきて教えてくれたりする。こういう庭を、何と形容したらいいのだろう。日本の伝統的な、というわけにもいかない。植木屋さんの支配する和風の庭園というのではない。流行の英国式ガーデニングの原型が、貴族のそれではなく農家のコテージの庭先から始まったというのなら、この日本の懐かしい庭先も、たぶん明治期以降だろうけれど、全く同じように存在しているのに、けれど何と呼べばいいのだろう。きちんとそのことについて思いを巡らす前に、すでにこの控えめで穏やかな風景は絶滅に向かっている。都市近郊の、というとすぐ通勤を目的にした巨大なベッドタウンという連想が働き、近郊の農家やサラリーマン家庭の混じり合った、緩やかにそこから里山に入り、やがて森へ繋《つな》がるような、そういう農村の連想が起きなくなった。江戸時代からこういう庭があったとは思いにくい。きっとそれなりの文明開化の余波があったのだろう。文化を思うときは、日本という土壌に持ち込まれたもの、持ち去られてゆくもの、一瞬の花のように咲いて消えてゆくもの、変容してゆくもの、思いも寄らぬところでカムバックしてくる普遍の何か、まで考えてゆきたいのだけれど、その「日本の変わらぬ何か」が、私にはまだ見えてこない。この急ぎ足の文化の変容は、どこに向かっているのか。

数十年前からアメリカ製の巨大旅客機、最短時間で最大数の乗客の移動を目的とした旅客機が世界の空を飛び回り、ヨーロッパの古都でも日本の古都でも、日に焼けた、タンクトップにショートパンツ姿の、背景から浮いたアメリカ人パック・ツアーの一群が闊歩《かっぽ》するようになった。アメリカという透明なカプセルごと移動しているような奇妙さであった。一人一人が見えてこないのだ。そしてまた同じタイプの旅客機が、日本から世界へ、ドア・ツー・ドアのような気軽さで団体を送り出した。今ではそういう人々は少ないと思うけれど、数十年前、日本人の団体とロンドンのある店で一緒になって、そこの店員や客が日本語を解さないと思い込んだその団体の人々が、なじみのない異国の風俗を思いきり罵倒《ばとう》しているのを聞いて耳を疑ったことがある。風俗習慣は違っていて当たり前、それが昨日まで当たり前のように享受《きょうじゅ》していた日本のサービスや常識と違うからと言って、まるで相手が人間ではないような暴言は、もしも相手が日本語の通じる日本人なら、絶対に言わないだろうと思えるものだった。相手も人間と頭では分かっていても、生理的な部分で、その実感が持てずにいたのに違いない。

学生の頃、ゼミの教授が「ヨーロッパに着いてしばらくはまだ、本当に自分がヨーロッパにいるという気がしないものだが、三ヶ月ほど経《た》つとようやくその実感が湧《わ》いてくる。考えてみればこの三ヶ月という時間は船旅と同じ時間で、体と魂を同時に運ぶという点では船旅が一番適していたのだろう、飛行機は体だけ運んで魂のことを忘れている」と言った言葉が、人生の折々に思い出される（後日、私が信楽から伊賀上野にとった道路は、一年ほど前に出来た「おかげでものすごく上野が近くなった」新設の道路だったということを知人から聞かされた。確かにとても早かった。が、あまりにも五感に入ってくる情報量が少なく、そういう便利さは私を不安にする。復路は律儀《りちぎ》に旧道を隈《くま》無く走ったようだ。これはこれでまた別の不安があったが、情緒的には遥《はる》かに充実していた）。

知り合いの詩人のところへ、最近それぞれ同じような内容の小学生からの手紙が届くようになった。よくある読者からの手紙、というのと、それらは少し色合いが違った。その冒頭は、今、学校の総合的な学習の授業でなりたい職業のことについて調べている、私は詩人になりたいと思うので、あなたに質問することにした、質問用紙を作ったのでそれに答えて下さい、と始まり、今までにあなたの出した詩集は何冊か、どうしたら本が出せるのか、何を書いたらいいのか、どうしたら詩になるのか、というような、時には二十を越す質問群で、最後は回答が出来たら次の住所に送るように、という指示で終わっているものだ。詩人は、それを読み、心からこれが訊きたいのだというほどの切迫感を感じとれなかった。質問のための質問。優等生たちなのだろう。何の悪気もないのだ。学校の指導で、自分の将来の職業という「ゴール」を設定しなければならなくなった、それでとりあえず「詩人」と設定した、次はそのゴールに辿り着くためのマニュアル作りに着手した、その過程で実際にその職業に就いている者からの情報を収集するように指導されたのだろう。

けれどそこには、彼や彼女たちが「なぜ」詩人になりたいのか、またならなければならないのか、という一番本質的なことがすっぽりと抜け落ちていた。どういうものを書いてゆきたいのだ、という展望もなかった。その中でもとりわけそういう特徴が顕著な手紙を受け取ったとき、詩人は、何か、ひどく焦りのようなものを感じた。それで、「本当に詩を書きたいのか、書きたくてたまらないのか」、ということから考えを始めたらどうでしょう、という内容の返事をしたためた。情報収集が成らず、学校の授業で困らないように、彼女の質問にぴったりの答えが掲載された、詩人や作家たちへのインタビュー形式の本も併せて紹介したが、返事はなかった。情報を得るための質問状の作り方や出版社への（著者へ回してくれるようにとの）手紙の書き方は教えても、それに付随してくる、枝葉のようなコミュニケーションに際して、どう処したらいいかは教師の指導マニュアルにはなかったのかもしれない。

たぶん、総合学習というものが設置された当初の目的はこういうものではなかっただろう。その方針に沿った授業も数多く行われているだろうし、また実際耳にもする。けれど、ふとしたときにこういう教育——目的を設定し、最小の労力でそれに辿り着く最短距離を考える——受験対応型のマニュアル教育が基本にあることがちらちらと見えてくる。何かをしたい、という情熱が育《はぐく》まれる以前に、「何かをするためのマニュアル」が与えられてしまう。いつかゆっくり訪れたいと思っていた伊賀上野までも、道があれば準備がなくても簡単に着いてしまうように。氾濫《はんらん》するマニュアルで、社会から、熱が、どんどん奪われてゆく。

数十年前、アメリカ型の巨大旅客機が世界の空を席巻し始めたのと同じ頃、ハウツーという言葉が流行《はや》り始めた。マニュアルの手っ取り早さは、世界を渡ってゆく簡易地図のようなものだ。目的地に達するまでの最短距離が示してある。大通りだけではなく、秘密の抜け道のようなものまで使って。その見逃しやすい小径を発見するためのコツのようなものも。つまり、限りなく複雑な迷路の、スタートとゴールの間を最短距離で結んだ赤線が引いてあり、その赤線以外の道は全《すべ》て消去してあるような、そういう簡便さ。だからその地図を見る者は、めくるめく世界の複雑さについて気が遠くなるような思いをすることもないわけだ。確かに便利だ。受験対応型の、という言い方をしたが、傾向と対策で仕分けしてゆきがちな今の受験勉強にこそ、そもそも思考回路をマニュアル仕様にしてしまう大きな要因があったように思えてならない。人生の一時期ならいいかもしれないが、十数年続くと思うとたまらない。その一番の弊害は、立ち止まって深く長く考え続ける思考の習慣が、身に付きにくくなることだ。そのことについて深く考える。深く悲しみ、考える。何日も何週間も何ヶ月も、あるいは何年も。日常生活をしている傍ら、心のどこかでそのことについて考え続けてゆく、そういう思考の習慣。試験ではそういうわけにはいかない。問題には求められる答えがあり、最短の時間で正確にそれへ到達するためのマニュアルを徹底して教え込まれる。前の問題を引きずっていては次の問題に十全に対処できない。そこでは素早い切り替えが必要なのだ。まるで次から次へとトピックが変わるニュース番組のように。学校の外でも、場当たり的な目的遂行のマニュアルに支配された雑誌の特集や情報が氾濫していて、まずその波を乗り切らなければ、世の中を渡ってゆけないような気分にさせられてしまうのは、小さな人たちには無理もないことだ。

ある動機をスタートとして、その目的達成をゴールとする。それにかかる時間が出来るだけ短かく、瞬時ですむことを、社会のニーズとして目指してきたような資本主義的な営為の下で、この短絡性は言ってみれば社会全体が切磋琢磨《せっさたくま》して育んできたものだ。むかつく相手は目の前から消そうとする、泣きやまない子どもは殴り、女の子と付き合いたくなれば誘拐、必要となれば手っ取り早く金が手に入る方法——と、短絡的に犯罪や犯罪まがいのことと結びついてしまう。金銭が欲しくなったら簡単に性を売るような一部の現代の風潮とも無関係とは思えない。

誤解がないように言っておくが、私はこの手紙の小学生がそういうことをしていると言っているのでは決してない。きっと、先生に教えられたとおり、真面目《まじめ》に授業に取り組んでいただけなのだろう。むしろとても几帳面《きちようめん》な、不器用なほど真っ直ぐな優等生に違いないのだ。それだけに詩人も気になって、普段はなかなか書けない返事を、書かなければならない焦燥感のようなものに襲われたのだろう。

マニュアルを、全く否定しているわけでもない。必要なときに自分の裁量で使いこなせるようにするのも、マニュアルに支配されないためには大事なことだと思う。そのバランスの取り方が、難しい。事の始めから与えられたマニュアルでは、経験値を高めることなどあまり望めない。それは何かを決定的に軽く貧しくしたままでスピーディに事を進めて「目的」を達成してしまう。対症療法的。応急処置的。その上に、日本という国は建ってゆくのだろうか。『あらすじで読む　日本の名著』という本がベストセラーなのだそうだけれど、粗筋だけ頭にインプットしておいて、この場合は何を最終目的にしているのだろう。それが話題になったときにスムーズについていけるように、なのだろうか。

そしてまた、その場その場で大義名分を変えてきた、このだらだらと続く陰惨で野蛮なアメリカの戦争の最終目的は。

窓を開けると、風はもう晩秋の冷たさ。山道の路肩に車を停めて、対向車が行き過ぎるのを待っている。

ああ、違う。この考えの方向は違う。しかも性急すぎる。責める「目的」の相手を決めてたたみこんでいる。社会や学校教育の側にだけ問題を押しやってはならない。マニュアルを切望する気持ちは私の中にある。それをもっと認めてやらないと、ここから先へは進めない。

山を下りると案の定、幹線はどこも渋滞している。けれど私は抜け道を知っている。急がなければ。犬が散歩を待っている。

世界の豊かさとゆっくり歩きながら見える景色、それを味わいつつも、必要とあらば目的地までの最短距離を自分で浮かび上がらせることが出来る力が欲しいのだ。要点を分かりやすくクリアーにして、自家薬籠《やくろう》中のものにしてゆく、使える力にしてゆく達成感にも覚えがある。

けれど外的世界を内側にリフレクトさせながら、それらが互いに深化してゆく、その旅の醍醐味《だいごみ》がなかったら、「目的に向かう」という行為に、どれほどの意義が残っているというのだろう。

「英国式ガーデニング」の流れが、農家のコテージの庭先から来ている、と書いたけれど、ものごとの全てがそうであるように、これも本当はそう単純ではない。中世修道院中庭の薬草畑がモデルになっていった実用性重視の流れや、自然を制圧し秩序をもたらし自らの力を誇示するための（バロック様式全盛のヨーロッパ大陸から影響を受けた）壮大な幾何学的庭園、自然を愛《め》で一体感を持つために働いた幾人かの天才的な風景庭園家たち。庭を造る目的は様々だった。人の目的はその世界観を反映してゆく。数日で造った庭もあれば、何十年何百年かけて出来上がってゆく庭もある。どんな目的であれ、それがその人の存在全体と関わってゆくためには、そのための長すぎもせず短すぎもしない適度な時間というものがあるのだ、きっと。おそらく戦後処理、という奇妙な名称の活動にすら。でも、どうやってそれを知ることが出来るのだろう。全体性を維持し、または恢復《かいふく》するために、必要なこと、必要なだけの時間、というものを。

やがて家に帰り着き、私の帰りを待ちわびて狂喜乱舞して迎える犬を連れ、ようやく散歩に出かける。この個性的な犬と付き合ってゆくために、私は当初、何冊もの犬の躾《しつ》けに関する本を読んだものだ。いわゆるハウツーものだ。その本のほとんどに、犬は群れの動物だから、リーダーが誰かをはっきりさせなければならない、まず犬より優位に立つこと、まちがっても犬に馬鹿《ばか》にされてはならない、というようなことが書かれていた。私はとても困った。犬は私を好いてくれているようだったし、その遊びは無心そのもの、何の下心もありそうになかった。それなのにじゃれて遊ぶその一瞬一瞬にもこちらを値踏みしているようなことが書いてあったから。けれどそれはきっとそうなのだろうとも思った。それでもまあ、「気心の知れた間柄」、それが私の最終的に落ち着きたい犬との関係で、別に忠犬ハチ公のような絶対服従など望んでいなかった。

ほとんど毎日、犬と散歩に行く。長さが調節できるリードなので、ひと気のない場所では彼女は自由に歩いたり、立ち止まったり、小走りになったりしている。あまり遠くに行き過ぎて、人や車とトラブルが起きそうなときは、合図を送るとすかさず後ろ歩きで戻ってきて、私の傍らにぴったりと付く。これでいいんだよね？　というふうに見上げるので、そうそう、とうなずく。これだけではとても完璧《かんぺき》な躾け、訓練――discipline――とはいえないのだが。

対等ということはあり得ない。

それはそうなんだけれども。

英国のある田舎町のパブで、定刻にやってきては、一人静かにグラスを傾ける四十代ぐらいの男性がいた。その男性の傍らにはいつも黒のラブラドールが微動だにせず、といって緊張している風もなく伏せているのが印象的だった。あるときはその黒ラブだけがいて、置物よろしく座り、入り口ドア付近をじっと見つめている。パブの亭主曰《いわ》く――ご主人の帰りを待っているんだ、もう数時間も。

この寡黙《かもく》なコンビは、静かだが強い存在感を放っていた。そこは中世の町並みを残した小さな町だったので、誰がどの辺りに住んでいるか、皆了解していた。動物愛護を盛んに唱える国らしく、ペットを飼っている人は多く、公園や街角で犬を散歩させる人々によく出会った。すれ違う犬の（覚えている限り）全てが、すれ違う瞬間目を伏せ、恭順そのものといった様子で脇《わき》に寄りひたすら下を向いて歩く。だからどんなに狭い小径《こみち》で行き会ったにしても、脅威を感じることはほとんどなかった。

ある貴族的な屋敷に滞在していたとき、そこの家の主人が——穏やかな紳士だったが——薄いグレーのワイマラナーを飼っていた。とてもよく調教されていた。耳は形良くカットされ、しっぽは短く切られており、言うことは何でもよく聞いた。ご主人はその犬を愛しているように見受けられた。けれどある節度を持って。鎖なしに田園風景の中を散歩に行くペアは、優雅で絵になった。けれど首輪には電流が流れるような装置がしてあり、少しでも本能に任せたような振る舞いをすると、すかさず手元のスイッチが押されるようになっていた。

tame されているのだ。

discipline が懲罰主義でビシバシとたたき込むイメージなら、tame ということばには飼い馴《な》らして意気地をなくす、といった印象があり、どこかもの哀《がな》しい響きがある。飼い犬の訓練は、先に discipline があり、その後に tame が続いて完成されるのかもしれない。

京都周辺のやくざ言葉に「剣呑をとる」というのがある。初対面で相手をぎょっとさせる行動ないし言葉を投げつけて、その後の人間関係において有利な展開を許ろうとするものだ。相手を格下と見なすとどこまでも増長する。そういうコンテクストで世界を読み込んでいるので、反対に相手にそう出られないためにも、出会いのそもそもの初めに相手を威嚇《いかく》して自分の優位を決定付けようとする。犬でもワニでも猿でも、ゾウアザラシでも、皆似たような行動をする。「剣呑をとる」という行為は、だから脳内のかなり原始的な部分にプログラムされているのだろう。そういう意味では人類にとっては昔なじみの心的メカニズムなのに違いない。

discipline も結局発想は同じなのだ。あるいは、あらかじめ弱者のそういう「はしたない」メカニズムを抑制しようという強者側の工夫なのか。

いずれにせよ、動機が威嚇であり、世界をコントロール可能と感じる快感なのなら、西洋の貴族の幾何学的庭園も、やくざの行動と「目的の場所」はさして違わない。

散歩コースの外れにある家に、いつも私たちに吠《ほ》える犬がいた。吠えられても、私の犬は大してこたえていたようではなかった。大型犬なので、それより小さい犬には警戒されよく吠えられるのだが、いつも我関せずといった風情《ふぜい》でしらんぷりして歩くので、聞こえていないのだろうか、と訝《いぶか》っていたぐらいだった。けれどこの数週間、その吠える犬がいなかった。吠えられないのはいいけれど、いつもいる犬がいないのはそれはそれで寂しいものだった。そこを通るたび、空っぽの犬小屋に、何かあったのかしらと視線を走らせた。

今日もその犬小屋の前を通った。やはり吠え声はしない。病院かしら、やはり、と目を遣《や》ると、何とその犬が帰ってきているではないか。しかもこちらをじっと見つめているのに何も吠えない。ああ、良かった、無事だったんだ、懐《なつ》かしいね、と思って気がついた。吠えないのは、もしかして、向こうもそう思っているのではないか。お、来た来た、相変わらずぼやぼやとやってくる、懐かしいなあ、とか。そういうことを考えながら、けれど立ち止まりはせずに通り過ぎると、突然私の犬が、顔を斜め上に上げて（普段やらない非常に不自然な角度で）目を丸くして私を見つめた。若干長く。そして口角を上に上げ目を細め（て笑っ）た。私は瞬時に彼女のいわんとしているところが分か（った気にな）り、思わず屈《かが》んで首回りを抱きしめた。（あの犬、帰っていたね！　しかも、吠えなかったね！　見た？）

そしてすぐにまた、いつものようにふんふんあちこち匂《にお》いを嗅《か》ぎながら、能天気な風情で歩き始めた。大好きな猫のにおいでもするのか、時折耳を立てて辺りを窺《うかが》い、狙《ねら》いを定めて空《むな》しいダッシュを試みる。彼女は確かに忠犬ハチ公ではないし、名犬ラッシーでもパトラッシュでもない。けれどそれは何か、その首の後ろ辺りの風情は何か、一つの記号的な「答え」のように圧倒的な確かさを漂わせていたのだった。幼い日々のいつか、鼻孔の奥に秘《ひそ》やかに埋め込まれた記憶のような確信をもって、私はこれは何かの「答え」なのだと納得するのだった。けれど、さて、そんな訳の分からない「答え」に先立つ「問い」を、私はいつ設定したか。だけど、ああ、もう問いもスタートも要らない、ゴールは、辺りに充《み》ち満ちているのだから。

と、思える瞬間も、人生にはある。

空には新しい巻雲が、西に沈みゆく夕日を受けて、輪郭を淡い薔薇色《ばらいろ》に染めながらどこかへ向かっている。

群れの境界から

I

高千穂岳の向こうから、ただならぬ顔つきの暗い雪雲が、俯《うつむ》いたまま真っすぐこちらに走ってくる。直《じき》にここも雪に降り籠《こ》められるのだろう。

山小屋は別荘地の上の方にあり、標高が高い。数年前、車で麓《ふもと》に買い物に行こうとしていくつかのカーブを曲がり、道の両側に家々が並んでいる場所、別荘地の中でも比較的ひと気が多い、と言える場所に出た。ひと気が多い、と言っても、実際に人がわらわらといるわけではない。けれど何故《なぜ》かひと臭い感じがするのだ。そういう場所がある。山の中を歩いていてそういう感じを持つこともある。その道の真ん中に、まだ若いバンビと言っていいような鹿《しか》が一頭、茫然《ぼうぜん》と立っていた。ゆっくりと車を進めると、右方向の山手の方、人の別荘の敷地内に入ってこちらを見ている。近くの原生林の中でなら、小さな群れをいくつか見たこともあるし、夜中には私の小屋の周辺にも徘徊《はいかい》しているらしいけれど、よりにもよってその場所で、しかも一頭で、というのが意外で、私は暫《しばら》く車を停めてその若い鹿を見つめた。数メートルも離れていなかった。濡《ぬ》れたような漆黒の大きな瞳《ひとみ》は、まるでムスリムの女性の目のように妖《あや》しかった。何て長い睫毛《まつげ》、と見とれた。鹿はそれ以上逃げもせず、大して緊張も見せず、私を見つめ返した。それが数年前の話。

そしてつい先日のことだけれど、全く同じ場所で、今度は見事に幾つもに枝分かれした角を持つ、首周りも堂々と太く、そこから胸にかけてふさふさとした毛を生やした牡鹿《おじか》に出会った。前と同じように車で近づくと脇《わき》に寄り、こちらをじっと見つめてくる。まるで外国の館《やかた》の壁に掛かっている鹿の首そっくりで、このときも思わず見とれたが、その視線にやはりくつろいで微笑《ほほえ》んでいるような（似たような顔つきの犬を飼っているので、この手の顔の動物がこういう表情をしたとき、リラックスしていることは察しがつく）ニュアンスを認めた。時刻も前回と同じ、午後一時と二時の間ぐらい。のどかな白昼。帰宅してからも、不思議なこともあるなあ、とまだそのことを考え続けていて、はたと、気づいた。本当はもっと早く気づいても良さそうなものだった。前回の若いバンビと、今回の立派な牡鹿は、同一個体ではあるまいか。

昨年の暮、訪問先の、奈良市に住むご婦人が、大台ヶ原で鹿害の調査をしていた研究者から聞いたとして、どうも大台ヶ原の鹿の中には、若草山から移動してきたものが混じっているらしい、と教えてくださった。奈良市内を我が物顔で歩き、観光資源として保護され、観光客からふんだんに貰《もら》える鹿せんべい、という気楽で安定した暮らしを捨てて、野生の中で苦しい生活を強いられる大台ヶ原までやってきた……何のために？　どうも、群れの中からときどきそういう個体が出てくるらしい、とのこと。鹿らしい生き方を求めて……？　彼や彼女の中の野性が、何か激しく主張したのかも知れない。でも、何を？

正月の映画館で、何となく『ラスト・サムライ』を観《み》ることになり、暗い観客席の人となった。『モヒカン族の最後』、というのもあったなあ、これでもかというように叙情豊かに美しく謳《うた》い上げる、この持ち上げ方が、あの映画版に似てるなあ……それにしても、どうしたことだろう、この重厚さを衒《てら》った薄っぺらさは、と、あっけにとられているうちに、すすり泣きの声が周囲、あちらこちらから聞こえ始め、なんだか昔、油断してカルト教団の集会に紛れ込んだときのような、半信半疑の心持ちになった。泣いている一人一人の肩を両手で摑《つか》んで、しっかりしろ、と揺さ振りたい。さもなくば、逃げ出したい。けれどちょっと待て、何がどうおかしくて、私をこんな気持ちにさせるのか。

半世紀前、戦場における日本人のファナティックな死の美学に、クレイジーと首をすくめていた国から、なぜ今、こんな、「死をも恐れず戦いに赴くことに、美を感じる民族だっただろう、君らは。思い出してくれ」と言わんばかり、武士道礼賛《らいさん》のような形で、持ち上げられるのだろう。

この映画のテーマになっている武士道の、一つの方向性（武士道は時代と場所によって極端にその示唆《しさ》するものが変わる）を尖鋭《せんえい》化したのが葉隠《はがくれ》思想だ。映画で直接には出てこないが、日頃気になるのは、葉隠武士、葉隠精神ということばが、よくストイックなものに対するあこがれのニュアンスを漂わせて使われることだ。有名な「葉隠」では、藩主の家がこの世で一番素晴らしい家系のように語り、それに仕えることの当然を説き、

「武士道と云《いう》は、死ぬ事と見付《みつけ》たり」という、有名な言葉の続きは、「二つ〳〵の場にて、早く死方《しぬかた》に片付《かたづく》ばかり也《なり》。別に子細なし。胸すわつて進む也。（中略）毎朝毎夕、改めては死々《しにしに》、常住死身に成《なり》て居る時は、武道に自由を得、一生落度《おちど》なく家職を

仕課《しおお》すべき也」というすさまじさで、この書の口述者を抱えた（本人は口述当時、引退し出家していた。その気楽さから思い切り「思うところ」を述べたのだろう）藩では、江戸時代からほとんど禁書扱いで、公式に取り沙汰《ざた》されたことはないと聞いたことがある。あまりにファナティックな内容に戸惑う向きも多かったのだろう。ファナティック――狂信的――と言ってしまうと、そこで全く自分から遠ざけ、切り離してしまう気がする。自分のいる場所から、何とかそこへ繋《つな》がるような道筋は見えないものだろうか――そう、加速度だ。一心不乱に何かに打ち込むときに生じる加速への陶酔感。判断の基準を極端に少くしているので、あれこれ考え込まずにすみ、生き方としてはむしろ重荷から解放され、楽になるのだ。そこを深く読み込めば、「葉隠」にもまた別の貌《かお》が見えてくるのだろうが、書いた本人も、火に入れて燃やしてくれと書いているほどだから、一読それがどのように受けとられるかは本人も承知していたのだろう。

それが昭和に入って太平洋戦争突入前後、大々的にもてはやされ、利用されるようになろうとは。

「武士道と云は、死ぬ事と見付たり」と、高らかに宣言するあたり、藩士に対して、まるで群れを構成する細胞の一つ一つに自己消去システムをインストールするかのようにも読める。

『ラスト・サムライ』では、大義のためには「死をも恐れない美学」のようなものが謳い上げられているわけだけれど、死を恐ろしいと思うのは、その個体性の喪失にあるのであって、死自体ではない。たとえば、無性生殖で増える細胞には、そういう意味での死（個体性の喪失）はない。自分がどこまでも分裂していって殖えてゆく。どこまでも自分のコピーだ。個体性に重きを置かなければ、なるほど死ぬこともさほど怖くはないだろう。群れ全体の組織性にアイデンティティを見出《みいだ》していればいるほど、命はたやすく投げ出せるわけだから。

私には、人並み以上にそういうものに惹《ひ》かれる傾向がある。「群れ全体の組織性にアイデンティティを見出し」ているのではなく、この、「個体性を超えた何か」に、「個体性以上の意味」を見出して行く、というところに。それが「何か」ということ、この辺りの心的メカニズムについては「信仰」と絡《から》めて、昔からずっと心に引っかかっていたことなので、『ラスト・サムライ』の、単純な仕掛けに思わず過剰に反応してしまうのは、きっと、多分に私的な事情も入っているのだろう。

映画の中の「西欧猿真似《さるまね》の、私腹を肥やす」新政府に、命がけで「武士の魂」を訴える登場人物のモデルの一人は西郷隆盛《たかもり》だろう。今また急激に崇拝者を集めている、維新の英雄だ。

日本における彼の評価は昔から破格の扱いで、同時代を生きた勝海舟（『氷川《ひかわ》清話』）や福沢諭吉（『明治十年丁丑公論』）、内村鑑三《かんぞう》（『代表的日本人』）、渋沢栄一（『青淵回顧録』）などですら、こぞって西郷をまるで贔屓《ひいき》の役者であるかのように擁護し賛美している。勝海舟に至っては、人物が大きい、とか、肝が据わっている、とか、何だか象の悠々とした巨体を見て、子どもがうっとりとあこがれるような記述ばかりで、何がどう素晴らしかったのか、もう一つよくわからないのだ。彼らがよく口にする、無私、とはどういうことなのだろう。

それはきっと、内村鑑三が『代表的日本人』に引き合いに出したような、（西郷は）月給は数百円であったが、生活費は十五円もあれば充分で、家賃一ヶ月三円のみすぼらしい家に住んでいた、とか、宮中の宴会にも他の場所と同様薩摩絣《さつまがすり》に白い兵児帯《へこおび》を締め、大きな下駄《げた》を履いて出席、ある日そこから帰ろうとして下駄がないことに気づいたが人手を煩《わずら》わすことを避けるため、雨の中跣足《はだし》で歩いて退去しようとし、門番に不審がられ、誰かが偶然来合わせて西郷と認めてくれるまで、雨の中をずっと立っていた、とか、私財を全《すべ》て公共のため、私学校のため抛《なげう》ち、妻子には何も残さなかった、とか、そういう逸話に窺《うかが》われる生活態度のことだろう。

この「無私」について、(私が知る限り)唯一《ゆいいつ》疑問を呈しているのが島田三郎《さぶろう》で、谷口政徳によると、島田は彼を、「西郷は全く装《よそお》ひし所なきに非《あら》ず、彼は恰《あたか》もある商店の主人が、彼《か》の人はかたい人だといふ評判を買はんが為《た》め、木綿着物を着て歩くと一般、彼の人は英雄豪傑だと云はれんが為めに、磊落《らいらく》の風を装ひしこと少なからず……云々《うんぬん》」と、評したという(谷口政徳著『日本歴史の裏面』昭和二年　内外出版協会　西郷隆盛全集第六巻　大和書房)。島田がどれほど西郷のことを知っていたのか分からないが(活躍の時代はずれる)、これも少し皮肉な見方で、西郷は陽明学などを修し、おそらくこうありたい自分、こうあるべき自分、を日々実践していただけなのだろう。

だが当時の(たぶん、今も)西郷論のほとんどが、「偉大」「力量」「器」「頭領」「度量」という言葉を駆使して構成されている。ほめことばだろうか、と考え込むような、「賢愚に超越した大人物」、というものもある。彼に関する思い出の聞き書き等を読んでみるとなるほど魅力的な人物だったのだろう、と思わざるを得ない。たとえば西南戦争での兵が彼を慕うこと「恰も赤子の慈母を慕うがごとき有様で、自分が官を退けばその主なる者は皆此《これ》と行動を共にせるのみならず、部下の将卒一人として南州の為めに死を希《ねが》はざる者なく、敢然として身を捨て命を捧《ささ》げ、進んで骨を沙場に曝《さら》すを楽み」ている(「天下の大兵を支えし力量」『日本及日本人　南州号』明治四十三年九

月 西郷隆盛全集第六巻）ように、どんなに彼に惚《ほ》れ込んだか、心酔したかということがそれぞれ競うように書き綴《つづ》られている。また、西郷を誉《ほ》め称《たた》える明治時代からの随筆、小説で繰り返される彼の偉業の要諦《ようてい》は、彼が「大器量」の持ち主であること、その特質を以《もっ》て例えば大政奉還を成し遂げ廃藩置県を敢行した、ということだ。そういう魅力の神通力が通用する社会だったのだ。そのコンテクストで敵も味方も生きていたし、呼吸のリズムをなしていたのだ。同じ魅力はヨーロッパでは容易に通じなかっただろう。

「西郷隆盛の器の大きさ」は、実は土俗的な母性の特質で、それが慕わしく懐《なつ》かしく、皆、理性をおいて、感情的に誉めあげるのだろう。西洋に学んで帰国した明治の知識人たちは、きっと彼らが切り捨ててきた儒教的心性に対する後ろめたさからも（この、「土俗的母性」に「理知」は手もなくやられる、というヘビ対カエル的メカニズムは、元オウムの麻原彰晃《しょうこう》が、その天才的な直感で元幹部信者たちにかけた術の一つでもある、と確信している）。

日本の男性には――それが必ずしもマイナスばかりではないが――求心力のあるリーダーを待ち望み、まるで磁石を突っ込まれた砂鉄のように、それが見つかるやいなや即座に呼応して、自ら進んで組織の一部になろうとする遺伝子があるのでは、という気がするときがある（個人においてだけではなく、政府の外交方針まで）。強く尊敬の出来るリーダーに忠誠を尽くし、信頼され、安定した群れでの居場所を確保したいという。いや、これは日本だけではなくて、風土に儒教的な何かが浸《し》み込んだ、東北アジア全域に見られる傾向かも知れない。司馬遷《しばせん》の「士は己を知るものの為に死す」の如《ごと》く、自分を認め、愛してくれたら命がけで働く、のだ。

そういう人には、基本的に信頼できる、ある誠実さがあると確かに思う。だがその延長線上で、（個の確立が特徴的とされる欧米に比して）アジア社会には、身内を大事にしすぎ、血筋でなければよりかわいげのある男性が出世し、またその人物が身内もしくはかわいげのある男性を重用するという悪循環で、社会を先細りさせる特徴もある。

とは言いつつも、それはとにかく社会秩序を維持するのに役立ってきたのだ。「士は己を知るものの為に死す」なんて、もう今ではほとんど死語になってしまった。儒教的な道徳観が音を立てて崩れ去ろうとしている現代、日本には儒教道徳以外の屋台骨はなかったのだろうか、と呆然《ぼうぜん》とするような事件が続く。

儒教的な精神性は、確かに人を孤独の淵《ふち》に追いやることがない。先祖から連綿と続いてきた、また続いてゆく「命」の旅の途中に個の自分の命を位置づけられるから、基本的な安定感が得られるのだ。そしてこの安定感こそ、(取り分け日本に於《お》いて)ヒトという動物が、群れという生き方の不自由を全て背負い込んでも、群れて得られる現実的な他のメリット(食料の確保、外敵の襲撃からの守り、等)よりもなお、求めてやまないものだったのだろう。

数年前の新聞に、ケニア中部、サンブール自然保護区で、五、六歳の雌ライオンと生まれたばかりのオリックスのペアが目撃されたことが載っていた。雌ライオンはラーセン、オリックスはサイモンと名付けられた。このラーセンは、以前二頭の子を失い、群れから離れて孤独に暮らしていたという。そしてこのオリックスの孤児、サイモンの親代わりとして、世話をし付き添うようになってからは、自身のための狩りもせず、瘦《や》せ細りながらもチーターやかつての仲間などから「子」を守っていた。そしてラーセンが水を飲んでいる隙《すき》に、サイモンは雄ライオンにさらわれ、喰われた。ラーセンは数日起きあがらず、保護区の自然学者の目にはどう見ても、ショックを受け、悲しんでいる様子に映ったという。

この記事は私をとても惹きつけた。素っ気なく言えば、この雌ライオン、ラーセンは、実の子どもを亡《な》くしたばかりでホルモンバランスが崩れ、従来の行動様式に異常を来たした、ということなのかもしれないけれど、見ようによっては、本能を超え、種を超えて、母性に生きたのだった。私は何にせよ、一つのことを思い詰めて考え続ける傾向があるのだが、このときは、この、「ラーセンの示してくれた可能性」が私の頭いっぱい占めていた。……ええと、これは確かに、「精神性」というものにとっての福音のような気がする。けれど、このラーセンの行動は「種の保存」的観点からはとても無理がある。長く続くものではないし、こんなことをしょっちゅう繰り返させるほどDNAは甘くないだろう。でも……。と、そのときは考えが迷路に入って頓《とん》挫《ざ》してしまったのだが、今、はっきり言えることは、あの『ラスト・サムライ』中の登場人物の、「閉ざされた群れの中の精神性」を守るための命がけの行動より、雌ライオン、ラーセンの「群れを超えた」命がけの行動の方が、私には遥《はる》かに意味があり、可能性を持ち、感動的だということだ。

群れで生きることの精神的な（だからこそ人が命をかけるほどに重要な）意義は、それが与えてくれる安定感、所属感にあり、そしてそれは、儒教精神によって更に強固なものになる（その「強固」もうすでに崩壊に向かっているわけだけれど）。しかし宗教が洋の東西を問わず、為政者に利用されてきたように、この儒教精神も絶妙堆積《たいせき》なやり方で（結果的に見れば。その時々で都合の良いように使われてきたことのがそう見えるだけかも知れないけれど）為政者側に役立ってきた。

西郷隆盛の生い育った薩摩の地に、その昔、島津氏がやってきたのは十二世紀、儒教の教えが禅僧によって全国に広まるのとほぼ時を同じくする。島津氏はこれを積極的に擁護、以来、上には絶対服従の徹底した封建的風土を育《はぐく》んできた。

その後、一向宗が起こり、各地で弾圧を受けるような時期を経て、信教自由令が発布され、鹿児島での真宗の布教が解禁される明治九年（一八七六年）までの三百年あまり、薩摩の地ではその始まりから一貫して隠れキリシタン同等以上の過酷な弾圧を、一向宗に対して行い続けた。なぜなら一向宗、浄土真宗の親鸞《しんらん》（彼自身は、「弟子一人ももたず候《そうろう》」と教団組織をつくらない）の本来の教えは、他の儒教化した仏教より原始仏教に近い、個人と法との関係重視のものだったから。それはキリスト教の神と個人が契約する概念にも似ている。その間には藩の場所はない。薩摩藩の農民は、他のどの藩よりも過酷な税率で年貢《ねんぐ》を取り立てられた。権威には絶対服従、問答無用の風土の中で、為政者は農民から搾取《さくしゅ》の限りを尽くした。仕えるべきは城主であって、御仏《みほとけ》では具合が悪いのである。「法」を与えて個を目覚めさせてはいけない。農民には少しの余裕もないように搾取しているはずなので、本願寺の方へお布施《ふせ》として流れるような余裕はあってはならなかった。個を覚醒《かくせい》させぬよう、集団として、群れの一部として行動するように農民も藩士も条件付けられてきたのだった。異常事態の中で発生した、一つの生命体の部分、パーツであるかのように。

儒教的な上下感覚を徹底させて、搾取しやすい環境を作る。それは本来の儒教とは違うものだったのだろうが、その中で生じがちな一種の弱い者苛《いじ》めのメンタリティだけは存分に機能させたわけだ。薩摩の地における郷中教育にも、個を主張することの禁忌がある。そのしばりの中で逆説的に認められる、傑出した個の在り方というのは、いつも群れのことを考える、西郷隆盛の型以外にはあり得なかったのだ。彼自身、求道的な真面目《まじめ》さのある人で、真面目なりにその型を追求していったのだろう。彼は日本で最初の陸軍大将だったけれど、その後の日本帝国陸軍の体質に、それは一つの決定的な傾向をもたらしたのではないか。

奄美《あまみ》大島が本土復帰して五十年になったというので、昨年はそれを祝うイベントが様々行われた。彼の地の歴史を改めて調べている最中だったので、ニュースでそれが流れるたび、思わずしみじみとした気分で見入ってしまった。

私は同窓に島々の出身者をもち、今はもう交流はないが、彼ら彼女らのほとんどが

(少なくとも私の知人に関しては皆、と断言できるが)人に優しく勤勉で努力家、聡《そう》明《めい》で妙な猛々《たけだけ》しさがなく総じて少し内気(しかもエキゾチックな美形で)、心中密《ひそ》かに「島」というものに憧《あこが》れ続けていたのも、彼女たちの印象が強かったからにほかならない。

高校時代は、こちらの必要とする知識と、教師が与えてくれる情報の間に明らかなズレがあり、結果的に退屈な授業中、ノートをつけている振りをして、今にして思えばエッセイの類《たぐい》のようなものを紙に書き込み、さりげなく隣に回し、隣はそれを読み、おもしろいと思えば次に回し、興がのれば書き加え、というように回覧していたことを思い出す(全てが完璧《かんぺき》なまでの静謐《せいひつ》の裡《うち》に粛々と行われた)。あるとき珍しく、その真面目なはずの「島」出身の優秀な隣人が、小テストの残り時間に素早く手渡したメモ用紙には、「今朝、登校中、あんまりいい天気なので、ああ、このままずっと自転車を走らせて、海を見に行きたい、と思った。島ではよくそうしていた。ぐんぐんぐんと、自転車をこいで坂道を上がると、目の前に真っ青な空と海が広がる。私は海に帰りたーい! って、叫びそうだった」というようなことがしたためてあり、今実物が(当たり前だが)ないのでそのまま伝えられないのが残念だが、とても情感あふれる文章で、私はすっかり彼女の内面に共感してしまい、ついでにまだ見ぬ島の空と海の青さにまで感動してしまった思い出がある。
薩摩藩の黒糖を巡るすさまじい搾取は、沖縄のそれが有名だけれども、奄美大島においてもそれはそれは過酷だった。
文政十一年（一八二八年）、薩摩藩は、砂糖総買い上げ制を導入した。それ以前は、租税として納めた後の砂糖を島民が自由に金銭を用いて売買できていたが、以後は金銭というものが島から姿を消す。ほとんど甘蔗《かんしょ》の栽培以外できないような過酷な取り立ての中で、わずかに余剰の糖が出たとき、それを日用品と交換するシステムに変わった。例えば、砂糖二十斤《きん》↓黒傘一本、砂糖百四十二斤↓米三斗八升、砂糖二十斤↓半切紙一束……等々といった具合。（「首里之主由緒記《ゆいしょき》」より）
この砂糖を生み出す道具のように島民を扱う酷制は、明治六年（一八七三年）、大蔵省より自由売買が許されるまで四十五年間続く。だが、自由売買が新政府によって晴れて許可されたにもかかわらず、旧薩摩藩は、民間商社の体裁をとった「大島商社」という会社を組織し、今までと何ら変わらぬ圧制を行おうとした。島民たちは、西郷隆盛を頼ってこれを訴えようとする（この間の経緯は、前田長英著『黒糖騒動記』に詳しい）が、それは見当違いだった。なぜなら、大島商社を裏で組織し、彼らから砂糖を搾《しぼ》り上げ、旧薩摩藩下級士族救済のための資金に充《あ》てようとしたのは他ならぬ西郷隆盛自身だったからだ。彼は、島民は今まで藩の恩顧を受けてきたのだから、今ここで藩に恩返しをするのは当然、とし、(大島商社が、旧薩摩藩士救済組合のようなものであることを)国に気取られぬよう、民間会社を装《よそお》うように、という知恵まで授けている。

彼は本当に「無私」だったのか。彼も属していた武士社会、ことに薩摩藩の下級武士たちに対する彼の「慈愛」は、偏愛といってもいいものではないか(西南戦争も、結局彼らへの「情」の部分から関わったことが大きい)。やはり群れDNAに突き動かされているのではないか。彼の「無私」とは、単に中途半端《はんぱ》に肥大化した「私」ではなかったのか。

彼の人格を全否定したいわけではない。ただ、彼が揺れ動く一人の人間であること、決してぶれなかったわけではないことをごく当然のこととして受け入れたいと思う。また彼が希《まれ》に見る包容力の持ち主で、無邪気なほど鷹揚《おうよう》な人間であったからといって、そのまま彼の思想が凡百の思いもよらぬ広大無辺さを備えている、と見なすのはあまりにも加速を(それもとんでもない方向へと)かけた短絡的な意見だ。少なくとも彼の身内大事の倫理が、そのまま今のグローバルを標榜《ひょうぼう》する時代の倫理に差し換えられるものであるとは到底思えない。

「西郷隆盛」的生き方は、日本という国が地理的に属する東北アジアの一つの理想であり、パワフルな土俗的母性に精神性を与えた、変容の形かも知れない。そして私もまた、そういう母性に惹《ひ》かれる者であり、そこに何らかの鍵《かぎ》があるような気がしてしようがないのだけれど、少なくとも私にはもう、それをそのままで人のあるべき姿と受け入れる判断の基盤になる純粋アジア性のようなものはない。そしてもう後戻りも出来ない。

宮澤《みやざわ》賢治の例を引くまでもなく、一人の人間を神格化して崇《あが》める、という行為には、自分で考える努力を放棄し、判断し決定する責任を他に押しつけた怠惰のにおいがする。どんな人間にだって苦悩し迷いも過《あやま》ちもあったはずで、その試行錯誤の過程を等身大の同じ人間として受け入れたい。安易な神格化は軍隊内での苛めのような歪《ゆが》みを生み易《やす》くする。心理的な上位をつくってしまえば、必ず下もつくらなければすまなくなる。無意識の卑屈がどこかで相殺《そうさい》されることを求め始めるから。人は誰かを崇めるだけではバランスがとれなくなりがちなのだ。どんな相手でも、一人の人間として受けとめようとする努力を、放棄するわけにはいかない。

無私の精神、という謳《うた》い文句は、個人を「群れ化」させてゆく方向性とパラレルだ。その微妙な差異に敏感でありたい。マインド・コントロール的に煽《あお》られて、「考える」

努力を放棄することはするまい。彼を神格化し盲信し、今の時代に彼のような人間こそ、というのはあまりにもナイーヴだ。西郷隆盛的、という、居るだけでそこに自然に手足となるような崇拝者の群れをつくってしまう在り方が、(一部で叫ばれるように)これからの日本人の目指す成熟した大人の在り方とは思えない。目的の場所は過去にはない。モデルは自分でつくってゆく。

長い長い間、東北アジアの大地に浸み込んだ儒教精神で、いちばん人を安定させ得たファクターは、やはり、先祖から自分を経由して子孫にまで連綿と続いていく、その根っこの感覚、連続して在る、という感覚だろう。同じように、土俗的母性にも、「所属している」という感覚にも、その安定感はある。だからきっと、理性とは別の何かが、否応《いやおう》なくそれに惹き付けられてゆくのだ。

ヒトという、この本来、なぜ自分がここにいるのかすら甚だ心許《こころもと》ない、不安定きわまりない動物が、常に欲し、根元的に求めているのが、この、「安定」しているという感覚だとしたら、受け入れられてあること、(できることなら)愛されてあること、一体感、帰属感、そしてその個を統合する全体性への強い憧れを禁じ得ないものだとしたら、そのための「群れ」だとしたら、しかしもはやその「群れ」に、人を健やかに安定させる力が消え失《う》せているとしたら、もう、「群れ」る必要はない。その組織性が暴走し、本来その組織性が保証するはずだった精神的・社会的安定を個から奪い、更に個の生命すら道具に使うようになったら、それは「必要悪」の次元を遥かに超えている。そうなった「群れ」にはもう忠誠を尽くす必要はないのだ。

そうなったらもう、「群れ」もトップも、個には必要ではないのだ。

……けれどそれでも、群れの動物である鹿《しか》が、個で生きてゆくことはたやすくないだろう。

あの一頭茫然《ぼうぜん》と立っていた鹿も、夜になると群れのもとに帰るのかもしれない。そしてときどき、群れを離れてみるのかもしれない。それとも、どうなのだろう。

若草山を出て、大台ヶ原に向かった鹿も、案外、いざというときのための新しい餌《えさ》場《ば》の可能性を探索しているのかもしれない。身軽に動くための孤独、というミッションを与えられた、大きな大きな、「群れ」の行動の一部なのかも知れない。小さな群れから、次の新しい次元の意識に繋《つな》がる、大きな大きな群れの括《くく》りにすでに再編成されているのかも知れない。
あの鹿自身には、もちろん、その気はないのかも知れないけれど。

II

『オリエンタリズム』などの著者、E・W・サイードの自伝『遠い場所の記憶』を読んだ。彼の著書に見られる、複数の対象を全《すべ》て等分に手元に引き寄せた、フェアで湿度を感じさせない手つきや、充分に引き寄せているにもかかわらず、常にその対象との間に風が吹いているような感覚、それがどこからくるのか、いつも不思議に思っていたのだが、読後、それらが何であったのか、少し分かったような気がした。

彼が祖国を訪ねるたび、

イスラエルの役人にいつも決まって尋ねられたことの一つは、（わたしの合衆国パスポートにはエルサレム生まれと書かれていたので）ここで生まれた後わたしは正確に「いつ」イスラエルを離れたのかということだった。それに対し、自分がパ、レ、ス、チ、ナを離れたのは一九四七年の十二月だと「パレスチナ」という言葉にアクセントを置いてわたしは返答した。「この国に親戚《しんせき》はいるか」というのが次の質問であり、それに対する「一人もいない」という自分の返答は、思いがけない悲しみと喪失感をわたしの中に呼び覚ました。というのは、わたしの一族の者は一九四八年の初春までには一人残らずここから追い出され、以来ずっと異国を流浪《るろう》しているからである。

――『遠い場所の記憶　自伝』E・W・サイード著　中野真紀子訳

その人を、他の何ものでもないその人として、生まれながら構成しているいくつかの要素の中に、「どうにも抜き差しがたい流離感」というものがある。思えばサイードはそういうことを感じさせる人々の一人だった。彼の視点、拠《よ》って立つところのものを奇妙な仕方で支えていたのは、この「流離感」であったのかもしれない。

七、八年程前のことだったと思うが、英国版「タイム」誌に、カズオ・イシグロ氏のインタビュー記事が載っていた。興味深かったのは、レポーターが、イシグロ氏との会話の印象として、「彼は、日本人のことも英国人のことも同様に they という表現で語った」と述べていたことだった。イシグロ氏が五歳の頃から英国で一人、その土地の学校教育を受けてきた、というのはよく知られていることで（私はそのとき、同じ様な条件で今も英国に暮らしている知り合いの日本人のことを考え、その、ネイティヴの日本人と微妙に、しかし確実に違う日本語、けれどもまた英国人たちからも異邦人としてしか扱われない、どこか常に漂っているようなあの独特の存在感のことを思った)、日本人に対しても、英国人に対しても、三人称複数を使う——we が使えない。使わない。その視線に映っているだろう風景が、彼の小説に漂う流離感と重なったのを覚えている。

その流離感は、もう少し感傷的なニュアンスを強くすればノスタルジーになる。

十年程前、ある講演会場で、学校へ行かない子どもたちの孤独について話していたときのこと、質疑応答の時間になって、前の方の席で聞いていてくださった年配の男性が立ち上がり、「今の時代の大変さを言っていたようだったが、僕たちの頃は戦争中で、まず食うことが大変だった。学校は授業らしい授業もなく、僕たちは学徒動員で……。今の子たちとは比べ物にならない大変さだった。そのことについてどう思うのか」と質問された。私はまず、その人が「僕たちは」という言葉で、自分たちのことを述べた、そのことについて、「甘やかな連帯」のようなものの自覚はないか、訊《き》いた。「僕たちの頃」、その方がそう言ったときのどことなく誇らかな調子が、何か郷愁のようなもの、宝物を見せるときのようなニュアンス、私がそのときテーマにしていた子どもたちが、望んで決して得られない何か、そしてその人自身もどこかでそれに気づいている——自分が持っている宝——それについて語りたいのだということが察せられたからであった。私はそれが確かに素晴らしい宝であること、うらやましく思うことを正直に言い、そしてその人はそれを認め、私はそれを受けて、けれど、「僕たち」「私たち」で語ることの出来ない孤独について、引き続き何か語った、と思う。

「群れ」にあるということ、それ自体が人を優越させ、安定させ、ときに麻薬のような万能感を生む。そして人は時々、群れを外れている人に向かってそれを確かめ、群れの中にいることの快感を得たいと思う。

甘やかな連帯は、そういう、そこはかとないところで止めておくのが健やかさを保つ鍵である。その快感への渇望《かつぼう》が暴走すると、異分子を排除しようと痙攣《けいれん》を繰り返す異様に排他的な民族意識へと簡単に繋がる。

しかし、その一歩手前で止めておけば、これもまた流離感と同じくノスタルジーに繋がる。

イラクの地で人質にされた人々が、やっと帰国した。そのことについて、あまりにも思いがけない熱情に駆られた世論（？）が沸騰《ふっとう》、しばらく呆然《ぼうぜん》とした。それから、いろいろな思いが湧《わ》いてきて、その思いを編み込むようにして、考えたことを綴《つづ》ろう、また綴りながら考えようと思うのだけれど、ときどき（最近エネルギーの削《そ》がれるようなことがなぜか頻繁に起こることもあり）無力さに打ちのめされる。

けれども、そういうとき、とりあえず身近な仕事に着手しようとのろのろ立ち上がるのは、この連載のタイトルを「ぐるりのこと」と決めたときの気持ちの後押しの一つになった、正木ひろしの『近きより』の発刊の言葉の中の一節を思い出すからだ。

「……余り遠大な仕事のみを考えていると、考えているうちに年をとってしまう。『道は近きにあり』とも言う。私はあらゆる意味に於《お》いて『近きより』始めようと思う」

正木ひろしの名前は、『暗黒日記』の昭和十八年を読んでいるとき、「正木旲（ひろし）」という弁護士の『近きより』という小雑誌がある。その一月号、二月号は驚くべき反軍的、皮肉的なものである。戦争下にこれだけのものが出せるのは驚くべし。これを書いた彼の勇気驚くべし」と、文中に出てきたのだった。

『暗黒日記』は、第二次世界大戦下、「外交評論家」清沢洌《きよし》が、極端な右左のどちらにも偏《かたよ》らない、自由主義的な見方で、日々の出来事を綴った貴重な記録である。その清沢本人がこのように評価している『近きより』もまた、自分の感覚を唯一《ゆいいつ》の砦《とりで》として正木ひろし個人の思考が綴られている。書かれた時点から六十年以上経《た》っても、個人としての貌《かお》が浮かんでくる文章だ。

右であるとか左であるとか、もしくは右寄りであるとか左寄りであるとか、または真ん中であるとか、そういう座標軸のどこに位置するかというようなことが真っ先に浮かぶ文章、また書いている本人もそういうことを、自分が帰属している群れのことを、常に意識しているような文章というのは、今ここに至っては、もう、人を惹《ひ》き付ける力はない（昔からなかったのかも知れないけれど）。

しんとした真夜中、ペンを持ち原稿用紙に向かっていると、ただどうしてもこうとしか思われない、自分の存在の奥から立ち上がってくる思いがある、それが自分を突き動かす、どうしても書かずにはおられない、と、そういうふうにして生まれる文章しか、もう人の心の奥には到達し得ないように思う。

『近きより』は、昭和十二年に発刊されてから敗戦の年まで続く。その昭和十四年の巻頭言から。

戦時の新年を迎えるのであるが、我々の心に底に何か明朗でないものがある。何か？　ウラジオか？　シンガポールか？　重慶か？　否《いな》、東京だ。東京の熱情が希薄なことだ。なぜ希薄なのか？　夢が足りないからだ。無理想なのだ。理想の無いところに情熱はない。

あの共産主義華やかなりし頃の青年の情熱を想《おも》え。今何処《いずこ》にかある。

なぜ理想がないのか？　彼らは考えないからだ。考えることを怖《おそ》れているのだ。(中略)考えない方が無難だと思っているのだ。

彼らはただ与えられる思想に適合させようと努力しているのだ。さらば彼らは何か与えられたか。共産主義反対、唯物主義反対、天皇機関説反対、自由主義反対、欧米模倣反対、(中略)ダンス反対、パーマネント反対、反対、反対、反対、

おお、反対の洪水よ、而《しこう》して反対の結果として現れたものは何か？

曰《いわ》く、「全体主義」、「精神主義」、「武士道」、「神道《しんとう》」、「禅学」、「民族主義」、「ファシズム」、「ナチズム」、「有《も》てる国と有たざる国との争闘是認主義」、「八紘《はっこう》一宇主義」等々。

而してそれら雑然たる諸説の任意の二個乃至《ないし》数個を混ぜ合わせると「日本主義」と称するものになるのだ。

問題は日本主義の雑踏、相互矛盾である。

しかし青年はこれに手を触れようとしない。余り多くのタブーが存在する。好んで地雷の埋没されたる土地に踏み込もうとしない。彼らは多く批評を避け沈黙を保つ、

皇軍の武勲赫々《かつかく》たるに比して、国内に情熱の稀薄《きはく》なる所以《ゆえん》はここにある。一見統一している如《ごと》く見ゆる。内務大臣末次海軍大将、文部大臣荒木陸軍大将に心服している如くに見ゆる。しかし国民は近衛《このえ》公と共に憂鬱《ゆううつ》なのである。日本のなやみはそこにある。而してまた、黎明《れいめい》の緒もそこにある。（中略）

昭和十四年は日本を岐路に立たす。（引用は原文のママ）

未《いま》だに日本は岐路に立ちっぱなしだ。

戦時下で、この雑誌が続いたということは、確かに驚くべき事だけれど、正木はそれなりに工夫できるところは工夫し（人道的見地から許されない、というべきところを「おおみこころ」はきっとお許しになるまい、のように替える、とか）、皮肉も多用して乗り切っている。

「日本人の偉いところは、何といっても挙国一致、殉国の精神だ。これは日本人の本能だ。支那《しな》にも感心なのが時々いるが、日本のは全部だから驚く」

そうなのだ。そして多分、日本人のそういう心性は、良くも悪くも正木の時代と何も変わっていない。まるで恋人と一緒になることを目指すように、全体が完璧《かんぺき》に一なる生命体になることを冀《こいねが》って突っ走るかのようなのだ。そのことに追い打ちを掛けるような最近の或《あ》る政治家の「反日的分子」発言。「人質の中には自衛隊のイラク派遣に公然と反対していた人もいるらしい。そんな反政府、反日的分子のために血税を用いることは強烈な違和感、不快感を持たざるを得ない」。

この元人質たちに対する、世間の魔女狩り的動きに乗じて、多勢を恃《たの》んで更にその動きを加速させるような、この一種独特の「熱情」を、一体どう呼んだらいいのだろう。これら様々な非難中傷に共通してある、「歪《ゆが》んだ同胞意識」のようなもの。

更に『近きより』から引用する。

日本人の悪習二つ。

一、調子に乗りすぎること。

二、長いものに巻かれ過ぎること。

――『近きより』正木ひろし著　第一巻第二号

調子に乗りすぎる、というのは、自分がいつの間にか共同体そのものに同化してしまったつもりになっているときの状態を言っているのだろう。元人質たちへの非難の一つ、「みんなに迷惑を掛けて」云々《うんぬん》という言葉は、その共同体意識の暴走に拍車が掛かっているときの常套句《じょうとうく》だ。もともと、「共同体意識が暴走」しがちな国民性なのだ。半世紀前に徹底して懲《こ》りたはずなのに、繰り返し繰り返し、民族の黒いシミのように湧いてくる、よほど個人主義が根付かない土壌なのだろう。それは仕方がない。西洋的な個人主義、自我の確立が、そっくりそのままこの国に移植され得るわけがないのだから。それならそれで、共同体意識の強さを適度な公共心にすり替えて行く道もあるはずなのに、正木言うところの「悪習」と呼ばれる部分だけが突出している。

私の心の奥にもまた、個人と群れが同居している。容易に暴徒化しかねない「群れ」の「一部」が。その「一部」は機会あれば「群れ」からのサインを受信しようと待ち構えている。この不気味な不安は何だろう。一人一人の人間のような顔をしているけれど、本当は個人を生きていない、意識せぬまま自分を共同体の部分として捉《とら》えているあまりにも多くの「私」が、それを受信したが最後、神話の時代さながらの激しさと高ぶりを持って、あっという間に一つの生命体のような群れを、まるで蟻《あり》のそれのように一つの目的に向かって突き進む、ある意味では高潔ですらある忠誠心を持って、そういう、大号令のようなもの――それは人間界のレベルのものではないのだろう、たぶん――太古の昔に刷り込まれた荒ぶる神々の角笛の音のような――それが、またしても私たちの存在そのものを揺り動かすような、そういう信号を、僅《わず》かに常と変わった周波数を、捉えるのではないかという不気味さだ。

民族を生きるということは、そういう不気味さを生きるということでもあるのだろう。全く気づかぬ間に、一人の人間の内部で、個がねじ伏せられてゆく。

前回西郷隆盛的な存在の危険性について述べたが、あれは当時の薩摩の地の抱えていた問題であり、だからこそ未だに深いレベルで引き続き現在の日本の抱えている問題でもあり、故《ゆえ》に多かれ少なかれ人類が直面している問題なのだ。極端な全体主義への志向性。それは、町内会の行事に参加しないからという理由で村八分的な空気を作ろうとする日常的な悲喜劇と、深く内界のレベルでは同列であり、また、あの元人質たちに対しての非難の一つ、「国内で困っている人たちもたくさんいるのにわざわざ他国まで出かけていって云々」は、その全体主義を外れるものへのブーイングであり、「言いがかり」でしかない。「反日的分子」発言も、同根のものだ。民族的な同一性を叫んでエクスタシーを味わおうとする、太古の時代からの本能的な欲求の発現を思わせる。

何とかならないものだろうか、と、自宅の門のところで外に向かって吠《ほ》えている犬を見ながら思う。そこまで命がけで吠える理由がどこにある？　と、近くへ寄って呟《つぶや》く。数千年この方、同じことばかり繰り返して。

放っておけば、知らぬ間に増幅してゆく敵意と憎悪《ぞうお》。


九・一一直後、激しいショックを受けているニューヨークの人々への街頭インタビューの一つに、学生風の男性が、「これで分かった。罪のない市民を攻撃するなんていうことは、しちゃいけないんだ」と叫ぶようにマイクに向かう場面があったと聞いたとき、私は、ああどうか、そこから、その共感と理解から、アメリカに展開して行く流れが、主流か、もしくはそれに拮抗《きっこう》するものになりますように、と祈るような気持ちでいた。結果的には主流にもそれに準ずるものにもならなかったが、けれどこの系統の流れは確実にアメリカのどこかを流れ、そしてそれはだんだん大きな流れになっていっている（と、念を込めるように言い切ってしまおう）。

――それにしても、こういうこと全部含めて、豊かで病んだ国、アメリカの迷走はどこまで続くのだろう。単眼でしか物が見られない、巨大化した体軀《たいく》を持つキュクロプス――一つ目の巨人――によって、洞窟《どうくつ》の中に閉じこめられ、身動きがとれなくなったオデュッセウスたちのような不安と焦燥。

起こっていることは、今、この私の、「近きより」であり、「ぐるり」であり、それを遠く過去に見やっての、鳥瞰図《ちょうかんず》的な視野を持つことができない。それでも『暗黒日記』や『近きより』などのような、戦時下の記録を読んでいると、繰り返す「同じようなこと」の意味を問いたくなる。その中にいやになるほど出てくる、本質を外れたヒステリックな世間の小児的糾弾――「あなたのやっていることは、みんなの迷惑です、つまりあなたは非国民だ」的な、とうにあの時代に埋葬したはずの、その地の底から繰り返し湧き起こってくる、この発作のような民族的な痙攣は、一体どういう意味を持つのだろう――それとも、この痙攣でまとまりのつく、そのものを、民族と呼ぶのだろうか。

小林秀雄《ひでお》の『一ツの脳髄』の中で、主人公が、船に乗っていて、他の客と同じように自分の体も揺れる。それがどうにも我慢ならないのだけれど、どうしてもそこから逃げる方法が見つからない、というようなところがあったのを思い出す。

民族が痙攣を起こしたら、その波動に巻き込まれずにはいられない。自分だけがそこから自由でいられるはずがない。

イザベル・フォンセーカ著『立ったまま埋めてくれ』（副題「ジプシーの旅と暮ら

し)くぼたのぞみ訳)という本は、現在主にロマと呼ばれる、千年以上昔から放浪生活を続け、戦後ヨーロッパ各地で定住生活を強いられながら暮らす、約「千二百万人のヨーロッパ最大の少数民族」について、その迫害の歴史や彼ら自身のアイデンティティについて、実に誠実に詳細に綴《つづ》ったルポルタージュである。彼らの大部分は、自らのルーツについて何も知らないし、知ろうともしない。「自分たちは世界の外にいる」というのが、彼らの最も基本的な自己認識の一つであり、

この知らないということが、たとえ彼らがそのことをほとんど意識していなくても、彼らをとびきり際《きわ》だった存在にしていた。そして私は、これこそがジプシーというアイデンティティを示す特性だと考えるようになった。自分の出自が言えなければ、その人は誰でもなくなり、その人について誰もがどんなことでもいえるようになるからだ。(中略)おそらく起源などたいしたことではなかったのだ。彼らは(中略)いつでもその辺にいる人たちでありながら、どんな場所にいても、いつでも、もう一度最初からやり直さなければならなかった人たちなのだ。そして、それはいつでも、長くて過酷な旅だったのである。

彼らは定住を嫌ったが、戦後のヨーロッパ諸国は彼らを同化させようとあらゆる規制を敷いた。彼らは故郷を知らないし、土地に執着しないが、その同族意識は、並はずれた結束力と、ほとんどないに等しい個々のプライヴァシーで（一人でいたがるロマというものは病気以外には考えられないとする）、まるでそれこそ一つの生命体が流浪《るろう》を続けるようなものだ。流浪を続ける間、音楽は彼らから切っても切り離せないものだったが、定住を強いられるようになった途端、音楽には関心を持たなくなる者も出てくる。

ジプシーの歌の核にあるのは昔もいまも変わらぬノスタルジアだ。しかし、ノスタルジアといっても、いったい何をなつかしむのだろう。「ノストス」というのはギリシア語で「故郷に帰ること」だが、ジプシーに故郷などない。たぶん彼らは民族の中でも唯一《ゆいいつ》、祖国をもちたいと願わない民族なのかもしれない。

だが、ノスタルジーと言うからには、何か対象があるのだろう。しかし、この場合、もうその対象自体にはさして意味はなく、その対象をどうにかしたいという積極的な欲求もなく、ただ懐《なつ》かしむ、そのことに、アグレッシヴな飢餓感の加速を和らげる鎮静作用があるのかもしれない。緩やかにまとまるのにちょうどいいくらいの、消極的な民族主義、とでも言おうか。あちこち流浪している同族を、一生相見《あいまみ》えることのないかもしれない同族を、ただ心の上で一つにするぐらいの。

定住したら音楽が彼らから抜けて行き、そのノスタルジーが要らなくなる、としたら、それは興味深いことだ。

一ヶ所に長い年月定住していると、きっと人知れず澱《おり》のように溜《た》まってくる何かがあるのだろう。或る土地に住み着き、やがてその土地に愛着が生まれ、執着が生まれる。国を地図上の国境で囲ってしまえば、自分の住まうところのぐるりに(本当は世界中がそうなのだが!)いる人々との間に、群れ意識は自然に生まれるだろう。それが純血主義などを求め始め、その、「人知れず澱のように溜まってくる何か」が、いつか民族の痙攣《けいれん》を引き起こすのだとしたら、それが繰り返しパターン化しているのなら、きっとそれを解くための工夫も歴史上様々為《な》されてきたに違いない。自分の地所を遠く離れて巡礼の旅に出たり、或《あ》るいは西欧や中南米の「カーニバル」、岸和田のだんじり祭や諏訪《すわ》の御柱《おんばしら》祭などのように、ある程度の犠牲もまたやむなしと無意識裡《り》に肯定されるような、爆発的なエネルギーの発散の場の設定、または「賢者の教え」のような生活訓、例えば「許す」「受け入れる」、そういう言葉でシンボライズされる寛容の精神もまた、強張《こわば》った筋肉の緊張を解くように、この「民族の痙攣」の緩解に、有効であったことはまちがいがないだろう。そこまでは人類は数千年も前から発見しているのだが、ただ、その処方の仕方に、未だにきちんとした方法論が得られず今日まで来てしまったのだ。キリスト教を筆頭にしてあらゆる宗教がその工夫のニュアンスを伝えようとしてきたが、組織化された宗教というもの自体にある問題のために、その成果ははかばかしいものとは言えない。――それでも、ないよりはましだったと思いたいが、宗教の功罪ということだけでも、膨大な数の文学作品が生まれそうで、考えただけで一瞬目眩《めまい》がする。自分の仕事のことを考えると、何を今更、とまたもや無力感に襲われる。

先月引っ越したばかりなのに、飼い犬の環境への適応は早く、もう生まれてからずっとここに棲《す》み着いているような顔をしている。庭の雑草の茂みに鼻を突っ込んだまま、気持ちよさそうに昼寝をしている。
「どうにも抜き差しがたい流離感」、その流離感が引き起こす漂泊を渇望《かつぼう》する心と、日常が絶えず指し示す土着性に惹《ひ》かれる心と、しかし、結局私はどちらの心の正しい引き受け手にもなれずに、いたずらに年月を重ねてしまった。やたらに引っ越しだけを繰り返して。流離と土着。漂泊と定着。私という個人の中でも、このことはこれだけの揺らぎを呼ぶ。未《いま》だに「定着」ということに潔《いさぎよ》くなれない。けれど、その土地に根ざし、倦《う》まず弛《たゆ》まず日常を生き抜く、というのが本来私の憧《あこが》れる生き方だった。

齢を重ねて、否応《いやおう》なく生活経験というものの増してくるうち、そういう相反するような性質のもの（群れへの回帰性と個への志向性のようなものも）が実はそうではないこと、一人の人間の中にそういうものが葛藤《かっとう》も見せずに（ある種の心理学が、したり顔で教える「補償作用」「反動」などという、乱暴で単純な法則的なものでなく、もっと控えめで微妙なやり方で、発生と同時に恰《あたか》も尊厳を伴ってあるように）存在しうるものであること、ともかく、人間とはどうやらそういうものであること、を、幾たびとなく他人のケースでも目《ま》の当たりにし、やがて意外ですらもなくなった頃から、私は、どうやらノスタルジーというものは、群れの境界で、個としての自分がいつか帰る場所を思って感じるようなものではないか、そしてそれは単なる感傷以上のもの、また、理性とは違った働きで群れの暴走を食い止め得るもの、ではないかと思うようになってきた。

群れの境界に足を引っかけて、どっちつかずの気持ちのまま、ノスタルジックな小説が書きたい、と思うようになった。

物語を

旅行中、歯が二本、揃《そろ》って異変を起こしたので、夕方の国道沿いを、ホテルで教えられた歯科医院に向かって歩いていた。すると車の行き交う道路の真ん中を、カラスが一羽、よたよたとしているのを見かけた。風切羽がだらんと下がっている。ああ、と、一瞬心がしんとした。これはもう飛べない。傍らを過ぎる車はスピードを緩めたり、心配そうに窓から顔を覗《のぞ》かせたり、学校帰りの自転車の高校生は、せめて道の端に誘導しようと思ってか、ベルを鳴らしたりしていた。そして振り返りながら皆立ち去って行く。冷たいのではない。もっと心持ちのせわしく、ゆとりのない都市なら、誰も見向きすらしないだろう。私は歩調をゆるめ、少し立ち止まり、またゆるめしながらカラスを見つめている。

……私はこれから歯を治して貰《もら》わないといけない。診療時間が終わっているのに待ってくれているのだから、私も急いでいる。生きるためには食事をとらなければならない。そのための歯が二本、使い物にならなくなっている。でも、あんたの風切羽がだめになったことよりは遥《はる》かに可能性がある。あんたはいずれ野犬か野良猫《のらねこ》にやられるか、車に轢《ひ》かれるか。カラスと生まれたのが不運だった。あんたが子犬で、そうやって道路の真ん中で途方に暮れていたなら、すぐに誰かが助けてくれただろう。それでなくても、せめてもっと人好きのする鳥ならば、保護されもしたろうに。保健所に電話しても処分されるだけだろう。

カラスと目が合った。愛嬌《あいきょう》がある。けれど、私は心でカラスに言って聞かせた。これは運命。

……あんたは死ぬ。

……オレハ死ヌ。

カラスが見つめ返した。私は心で頷《うなず》き、歯科医院に急いだ。遅かれ早かれ私も死ぬ。あんたが少し早いだけのこと。でも可能性がある限りは生きるための努力をしよう。

親切な歯科医院では適切な応急処置を施してくれ、とりあえずはなんとか食事のとれる状態になり、私は帰路、あのカラスを目で探した。いない。だが死骸《しがい》もないから、なんとかこの道路は脱出したのだろう。そう思ってふと反対側に目を遣《や》ると、低い生垣越しに、あのカラスが民家の庭に入り込んでいるのが見えた。

あ、と思った。瞬間に、新聞や地方のニュースなどでしばしば話題になる、「怪我《けが》をしたカラスが迷い込み、まるで九官鳥のようにペットとして飼われている」場面を思い出した。そうだ、このカラスが民家の庭先に逃げ込んだのは、偶然としても、最終手段として正しい。風切羽が使い物にならないことは鳥にとっては死を意味する。あとは、人間の温情に訴えるしかない。生き延びられるとしたら、その手しか残されていなかったのだ。思いつきもしなかった。カラスと目が合った。私は心で頷く。

……そうだ、とりあえず、それでいこう、それしかない。

……ヤッテミル、イチカバチカ。

逃げ込んだ先が、動物好きだとは限らない。飼ってもらえる可能性など、一パーセントにも満たないだろう。だがそれに賭《か》けるしかない。目のくりくりした愛嬌は、彼の新しい武器になるだろう。そうだ、可能性がある限り生物は生きる努力をする。生き抜く算段をしなければ。

角館《かくのだて》の町は、戦災を免れたこともあったのだろう、武家屋敷の庭は大木が天高く生い茂り、それが道の両側から静かに迫ってくるところは、町なかでありながら森林の気配を思わせた。同じ道の北の外れに、瀟洒《しょうしゃ》な美術館がある。建物自体は比較的新しいが、もともとは武家屋敷、その跡地に旧制角館中学校が建てられ、今の美術館は更にまたその跡に建っている。大きく取られた前庭に、この町のそれらしく、やはり大木が林立して清々《すがすが》しい気配を漂わせているのは、武家屋敷時代からの樹木が残っているせいもあるらしい。本館に続く小径《こみち》の隣には、敷地全体の雰囲気の元締めのような木立があり、下草にはクマザサが生い茂っている。そしてまた別の、今はもうあるかないかのような、逍遥《しょうよう》のための小径が見て取れた。こういうとき、私はいつも誘われるようにして入っていってしまう。すると、ほぼ中央に大きな岩を見つけた。何だろう、と近づく。岩には表面の一角に、わりに新しいプレートが入っており、「偲《しの》ぶ碑」と銘打ってある。読むと、

昭和三年　若きわれら百名はここに入学した
校庭に景観を求める矢島鐘二校長のもと
雪道に巨岩を運び雨の日に植樹をすることに力を合わせた
以来茫々《ぼうぼう》として七十年
ここに碑を彫り往時を偲ぶものである
　平成七年五月
　　旧制角館中学校
　　　第四期卒業生一同

この美術館は、私が行ったとき館内に客はおらず、きっと存続にも大変な苦労があるのに違いないと思われた。万が一にもこの後にまた別の施設なりの構想が持ち上がったら、いや、そうならないまでも、もう、この、平地に突然転がされているような岩の由来を知る者は早晩いなくなってしまうだろう（山道などを歩いていて、ここにどうしてこんなものが、とその謂《い》われが知りたくなるような岩に出会うことはよくある）。その焦燥が、この碑を刻もうとする動機だったに違いない。短いが名文である。年代からして、ほとんどが戦争に行っているだろう、そして帰ってこられなかった方々も多かっただろう。その中でこの歳《とし》まで人生を刻んでこられた方というのは更に、数えるほどになっているのに違いない。その中に一人、名文家がいらしたのだ。

気持ちがすっと入ってゆきそうな木々や岩に出会うと、思わず手を当てて、何か語ってくれるのを待つことが、私の習い性になっているけれど、この岩は、こうして自らの由来を語ってゆく。地霊と言霊《ことだま》が、思わぬ形で互いに寄り添ってゆく。

角館を発《た》ち、雫石《しずくいし》、小岩井、盛岡、花巻を経て、東京へ向かう。

東京は、古本屋も多いし（いくらインターネットで古本も収集できるといっても、思いがけない本との出会いは、やはり書棚に手を伸ばすことから始まる）、入る情報量も多いが、生命力の不必要に削《そ》がれるような刺激もまた多く、数日間の滞在中、途中で逃げるように日光の植物園へ行った。実は会いたい木がある、という目的のためだったが、これはまた別の話。

台風が近づいているというのは聞いていた。さすがに空模様は怪しく、園内にほとんど人影もない。深山の気配がたちこめた中、思索的な雰囲気の木々に囲まれて、上がり下がりのある小径を歩いていると、心と体が細胞単位で歓《よろこ》んでいるのが分かる。目には見えない飛沫《ひまつ》が沢から立ち上がってきて、砂漠で水を与えられた旅人のよう。天気はそれまでなんとか持っていたのだが、さすがに途中でさっとにわか雨に遇《あ》う。ひどい降りではなく、むしろ辺りの気配をますます深めるため、そういう必要があって誰かが、何かが呼んだ、そういう雨だった。それから、広い場所に出ると、向こうの山々からため息のような霧が湧《わ》き上がり始めていた。旧暦にしても秋には少し早い時期だったが、

村雨の　露もまだ干ぬ真木の葉に　霧立ちのぼる　秋の夕暮れ

百人一首で有名なこの歌と、宮澤賢治の、

雨すぎてたそがれとなり
森はたゞ海とけぶるを

という詩句を殆《ほとん》ど同時に思い出した。

寂蓮《じゃくれん》法師は十二世紀の終わり頃に活躍した人であり、賢治とは七百年程の隔たりがあるが、時代を超えて、皮膚は同じ感慨を訴えている。皮膚一枚通して内側と外側が少しずつ交流を始めるような、そういう気配。

肌身が経験する、圧倒的なリアリティの中へ参加している、という感覚は、私にいつでも、未《いま》だかつて語られたことのない言葉を使いたい、と、強く欲求させる。そうでなくてどうしてこの、常に新しくあり続ける「今、この瞬間、この場所で」というリアリティが表現できるだろう、と。

だが、こういう、体験と不可分の（つまり、机上でひねり出したのではない）言葉は世の中にはすでに無数に生まれていて、個々人の体験が、ただそれに追いついていかないだけなのかも知れない。普遍的な体験は、きっと、私たち個人を通して世の中に滲《にじ》むように現れ、そして露のように消えてゆく。僅《わず》かにそれを留め得た言葉だけが、作者の寿命遥かに生き延びて、人の記憶に刷り込まれてゆく。

雨すぎてたそがれとなり
森はたゞ海とけぶるを

こういう情景を、都会では経験できない、だから最近の子は可哀想《かわいそう》、とは思わない。陽射《ひざ》しで熱せられたビルの谷間のアスファルトが、一瞬のにわか雨の後、やはりため息のように吐き出すぼわぼわとした生温かい蒸気、そういうものに、繰り返す馴染《なじ》みの季節感を覚える子どもも少なくはあるまい。要は、大気の移動があって、それに生体としての体が覚える感慨。世界に感官が開かれてある、そのことを味わう力。

内なる自然、とよく言うけれど、もしその自然がその時代の人為的な影響で荒れ果てていたら、それこそがその時代の「自然」なのだ。カラスがこういう環境下でこのように生きていること、そのことがまさしく「自然」であるように。外部の自然が変化してゆくとき、私たちの「内なる自然」もそれとパラレルに変化して行くのは当然のことだ。それが「自然」である以上。

　環境問題は単なる外部の問題ではない。私たちの内なる自然の風景も、そこで取り沙汰《ざた》されているのだ。地霊と言霊が、相関しあっているように、或《あ》るいはもっと親密な連関が息づいているのかも知れない。「ぐるりのこと」は中心へ吸収され、充実した中心はぐるりへ還元されてゆく。

　私は marsh という言葉が好きだ。陸地と河川を分ける境界にある、湿原、沼地のようなところ。ただ、marsh という言葉が出てくる小説の雰囲気が好きなだけかも知れない。なぜなら私には marsh という言葉に特定の体験の確固たる裏付けはないはずなのだ。それが過去に読んだ小説の断片なのか、それとも昔、自分が（忘れているだけで）リアルに体験したことなのか、判然としなくなっている。それに、英国の知人が昔語りした子どもの頃の体験なのか、それとも繰り返し見た夢のせいか、と考えてゆくともう、本当に何が何だか分からなくなる。それらは全《すべ》て曖昧《あいまい》になっているのに、ただ、marsh という言葉の周囲に立ち上がる、水気を帯びた空気や丈高い草々、生活する鳥や獣たち、そして昆虫、そういった多様ないくつもの生命が、一斉に風に吹かれていく感じ、そういうものだけははっきりとした気配を伴って私の脳裏をよぎるのだ。言葉というものは本当に不思議だ。口にしただけで何かの霊が降りてくる、魔力を持っている、と、昔の人が考えたのも無理はない。それはある特定の神秘的な場所が、霊力のある地とされてきたのと同じように。

現在、地上のあらゆる所にブルドーザーが入り、土地は開発の名の下に蹂躙《じゅうりん》され、その地霊がほとんど力を失ってきたのと同じように、空《むな》しく使い回された言葉たちが急速に力を失ってゆきつつある。地霊も言霊も、およそ霊力というような類《たぐい》の力が、急速に薄れ、陰影のない、薄っぺらの何かに代わられて行きつつある。恐ろしいことだが、人間もそうだ。環境問題は、人間の内側と外側で、同時進行している「自然」の問題なのだ。

金田一京助は、大正元年秋、上野で開かれた拓殖博覧会のアイヌ小舎《ごや》で一人のアイヌの老婦人と出会う。名をコポアヌというその人は、「酋長《しゅうちょう》」の家系の生まれだったが、夫に早くに先立たれた後、かわいがって育てた一人息子と結局折り合いが悪くなり、死を覚悟で飛び出し、その拓殖博覧会のアイヌ小舎に辿《たど》り着いたのだった。ちょうどユーカラで分からないところを抱えていた金田一は、毎日博覧会に通い、コポアヌに教えを請《こ》う。金田一が以前に採集したユーカラを読み、つかえたりするたび、彼女が、滑らかにそれを補完し、また意味を説いてくれるので、金田一が驚いて、「婆《ばあ》さん、先々まで分かるのかね」と訊《き》くと、にこにことして、「女だけれど、おらもやらせればユーカラやるよ」と言った。

なるほど、アイヌには発明した文字がない。（中略）文字がないから、書き付けておくということがない。もし忘れたら最後それっきりになるので、忘れられないことをば、懸命に暗誦《あんしょう》をしておかなければならない。だから記憶が、文字のある社会の思いもかけないほどに――小児の記憶のように明晰《めいせき》である。それで以《も》って、書契の埋合せをし、前言往行の、以って証拠とすべきものは、口々あい伝えて諷誦《ふうしょう》し、伝承し、家系のごとき、古伝のごとき、炉ばたの団欒《だんらん》の間に、しらずしらず習得して、一人一人部落の生活に必要な教養を、この間にほどこされて、育つのであった。（中略）ことに神々の物語詩になってはその全部が人々の生きた信仰であって、「それだから今にこう祭るのだ、こう尊ぶのだ、こう祈るのだ、こう守らねばならぬのだ」と、いちいち信仰箇条を形づくっているので、争議の裁決も、非違の訓戒も、日常の条軌、いちいちみなこの物語の叙述に引照するので、その内容は今も生きて、そのまま実生活へ働きかける力をもつことなのである。言い換えれば、物語詩は単なる芸術ではなしに、村の神聖な歴史であり、経典でもあり、同時に部落の法典でもある。だから、一言一句も違《たが》えまいと、敬虔《けいけん》な心で伝承するのである。それは忘れてはかなわぬ実用の訓《おし》えなのである。それゆえに、懸命に記憶されて残ってきたのである。

――『北の人』金田一京助著

この拓殖博覧会のことは、別の何かで読んだことがある。そこでの論調は、このように「見せ物」小舎を仕立てて「人」を「人」に見物させるなどという、人権を無視した振る舞いに対しての、批判的なものだった。だが、この『北の人』を読む限り、コポアヌ婆さんは、現金を手にして意気揚々と故郷の村へ帰り、都の土産話などして人々に大いに羨《うらや》ましがられ、また尊敬もされたという。そして翌年も、また翌年も東京に出てきた。ある年など、そのあまり仲の良くない息子の家族共々やってきて、そういう「小舎」がなくなっているのを残念がり、懇意になった巡査の世話で、ある店の隅で細工物を売ったりなどして、たくましくもおおらかに稼ぎ、故郷へ戻っている。

しかし、同じ時代に起こったこととして、オーストラリアのアボリジニやアフリカのホッテントットなど、少数民族が、その姿形の珍しさから、誘拐、拉致《らち》され、興行に引き回され、劣悪な環境のため死ぬ者も多く、あるアボリジニなどは死んだ後、剝《はく》製《せい》（！）にまでされ、ようやく近年、子孫の手で故郷へ帰り埋葬された、と聞いたことがある。しかしまた、同じ様に、サーカスに売られたあるブッシュマンは、比較的生き生きと生活できる環境に恵まれていた、という話も聞いた。
その人の周りの環境が、その人を取り巻く様々な人間ごと、その人の生きてゆく場所の自然条件となり、人はそれに立ち向かい、或いはそれを利用して、生きてゆくのだ。
金田一はその後、日高の紫雲古津《しうんこつ》村のコポアヌ婆さんの家に泊まり、媼《おうな》たちの語るユーカラの筆録に専念するが、そういう金田一を珍しがり、村人が代わる代わる訪ねてきては半日を玄関先で過ごして行くようになる。畠《はたけ》へ出る途中、山から帰る途中、立ち寄っていく人々に、あるとき、
……なにか聴かしてくれと試みにせがむと、鍬《くわ》を持ったり、かますを背おったり、まったく襤褸《ぼろ》を下げた見る影もない姿をしたのが、勧められるままに、いざり寄って、被《かぶ》り物をはずして、静かに諷詠し出すそのことのよさ、いきなりつかまえる行きずりのどの人も、どの人も、こうして、夢のように美しい詞をたとい聞いても、味わえなかったら、会っても避けて通ったであろう身なりの人たちではなかったか。所の和人たちからは、人でもないように、イヌの族ででもあるように、さげすまれ

などする、アイヌの人たちの、こういう実状なのである。私はコポアヌの家で、こういう人を相手にしながら、いずこの世界へ行ったら、通る人、すぎる人、こんな文藻をもつ、こんなゆかしい心の持主ばかりが野に隠れている国があるであろうと、二千年も三千年も遠い昔の楚《そ》の国へでも来合わしてるような心持がして、幸福感に酔わされているのであった。

アイヌの人々の高い精神性が、世界の物語化ということと、無縁であるはずがない。

今回の旅行は、そもそも、秋田市で白神山地の酵母菌等の研究を続けている、秋田県食品総合研究所の木村貴一さんの研究発表を取材に行く、というのが始まりだった。白神山地の腐葉土に棲《す》まう菌類たちは、何しろ八千年もの間、激しい生存競争の中を生き抜いてきた微生物たちなので、その特性においてとても興味深いものがある（古くから続く酒蔵などに、その酒造元独特の酵母が棲み着いていることはよく知られているが、野外で生活している酵母たちもまた、様々な特質を持っている。が、その特質はもちろん、人間にとって都合のいいものばかりではない）。木村さんは白神山地の乳酸菌（抗菌力がずば抜けていて、食品に使用すれば保存料無添加でかなりの品質保持力を発揮する）、高橋慶太郎さんは主に酵母菌（これもパン酵母としてはちょっと信じられないくらいの実力を持つ）を目下の研究対象としておられ、そのお話が聞けることも大きな魅力だった。なた漬けに関する木村さんの研究発表は刺激的で充実したもので、熱心な質問が相次いだのも商品化に対する人々の関心の高さが窺《うかが》えた。その後、高橋さんが所内を案内して下さり、途中、試験的に酒類を醸造している部屋に入ったときのこと、そのぴかぴか光るステンレス製の設備のあまりの整然とした美しさに、思わず、

——ドイツのワイン醸造で有名な村の、醸造所など、掃除などしたことがないほど汚いという話を聞いたことがあります。発酵中の酒樽《さかだる》には蜘蛛《くも》の巣が張っていて、それすら取らない、でもそれで、たとえば外部から好ましくない菌を運んでくるショウジョウバエなどを搦《から》め取るのだと。外にも、天然酵母を使ったビールの醸造所など、あまり清潔でないとか。酵母菌第一に考えているのでしょう。すごく複雑な仕組みが働いている、と思いましたが、でもここは本当にきれい、シンプルで清潔ですね。

と言うと、先に立って案内してくれていた高橋さんは、振り向いて、

——シンプルでなければ解析できませんから。

と、微笑《ほほえ》んで言った。

普段、自分が生きていかなければならない現実の複雑さ多様さに、どこかでほとほとうんざりしているせいかもしれないが、私はこういう、理系の人のすっきりした明晰性に本当にうっとりする。大体、さして多くもない、幾つかの「醸造中の」作品を抱え持っているというだけでも、私の力量ではなかなかに持続力の要求されることなのだった（それなら早くその中の一つも書き上げて少しでも楽になればいい、と周りも思っているだろうし自分でも心からそう思うのだが、作品間には私の知る由《よし》のないバランスが働いているらしく、なかなか思うようには進まないのだった）。もちろん高橋さんは別にそのとき、深い意味があってそう言ったわけではなく、単に事実を事実として（何しろ「研究所」なのだから、データとして信用できるものが出せないような設備では困るわけだ）、コメントしただけなのだが、そして私も、こういう言葉に一瞬涼風が吹いたように感じはするものの、けれど、多様性そのものを生きる、というこ とが即《すなわ》ち生きること、と諦《あきら》めてもいるので、すぐに我に返るわけだが、やはり「明晰性」というものにこんなにも惹《ひ》かれることの意味を考えてしまう。そして、私が物語に求める「明晰性」について。

それは、枝葉末節を消し去って要点だけ抜き出した「単純化」もしくはあらかじめ理解の成熟度を低く設定した「幼稚化」とも違う（ときどき、「児童文学」はそういう誤解のされ方をするが）。何かに焦点を与えることによって、全体の複雑さを誤魔化すことなく、よりリアルにし、その焦点と全体を共々立ち上がらせる、ということなのだ。そういう、単純化ではない、明晰性の在り方——何を、明晰にしたいのか。そういうことを突き詰めて考えていくと、私はどうしても物語に還《かえ》ってゆく。

一個人が個人であることを超えて、家系を、民族を、世界を語り出す。そのとき、例えばアイヌの古老の「個」はどうなっていたのだろう。その、たぶん、「個」と微妙に融合した「群れ意識」の在り方はもちろん、私たちが自らの所属すると思う「群れ」に対して感じるようなものとはまるで違ったものだっただろう。

近代化され、西洋化された現代の日本で、アイデンティティという言葉が使われるようになって久しいけれど、幾重にも取り囲む多層の世界、多様な価値観、それぞれとの間断なき相互作用、その中心にある不安定で動的な「自己」に、明確なアイデンティティを自覚するのは、生半可なことではないのだ、本当は。ましてやその「自己」が自身を取り囲む多層な世界を語り出す、などということは。その中に棲まう、地霊・言霊《ことだま》の力とおぼしきものを総動員して、一筋の明晰性を辿りゆくこと、それが「物語化」するということなのだろう。

例えば、カラスが与えられた「自然条件」で生きてゆく、その命のくっきりと鮮やかな形を謳《うた》い上げること。歴史的な変遷《へんせん》を経てどんどんそのしつらえを変えていった「場」の中で、動かずにただただそこに存在する石が、自らの由来を誇らかに謳うこと。そういう、いくつものいくつもの世界が、様々な雲が無数に浮かぶ透き通った高い秋の空のように、クリアーに映えて見える、清《さや》かにも堂々とした明晰さ。

旅行から帰ってきて、今、この原稿を書いているのは真夏。毎日、太陽が信じられないほど照りつけている。炎天下、ホースのシャワーでミントの茂みに水を打つと、さっと気化して風は涼しいミントの香りになり、近隣に漂い続ける。ローズマリーは ローズマリーの、レモンバームはレモンバームの、ラベンダーはラベンダーの。それぞれの芯《しん》ではまごうことなきそれぞれが、倦《う》まず弛《たゆ》まず生体を保持するために活動しているのだろう。それが精油となって馥郁《ふくいく》と辺りに散ってゆくのだ。他のそれとはまちがいようもない、それぞれ独自のものとして。

自らの内側にしっかりと根を張ること。中心から境界へ。境界から中心へ。ぐるりから汲《く》み上げた世界の分子を、中心でゆっくりと滋養に加工してゆく。

ほとんど毎日、犬と散歩に行く。新しい住居の周りには、公園が多く、散歩コースには事欠かない。これはこれでその楽しさがあるが、以前の住居の散歩コースには野原があって――山を切り開いて出来た住宅地の一角がそのまま残されていた――その隅に、どういうわけか白い露草（園芸種のムラサキツユクサの白花ではない、念のため）の群れが毎年出てきていた。露草は薄青、そう決まっているものと思い、それをたいそう好ましいものと思ってきたので、その頃の夏場の私の庭の、桑の木の下は、甘やかされた露草が青い波のように繁茂していた。この上わざわざ白い露草を、移植しようとまでは思わなかったが、毎年そこで確実に会えるのは、実は密《ひそ》かな楽しみだった。

あるときブルドーザーが入り、野原だった場所に新しい住宅地が出現した。それがあれよあれよという間の、しかも冬の出来事で、私が白い露草のことを思い出したとしても、そのときはすでに遅かった。救出しようにも、冬場は露草の影も形も見えないのだ。

そこに生えている野草を、珍しいからといって抜いて帰ることは気が進まない。とはいえ、こんなことならもっと早く、一株でも、うちの庭草にしておいたらよかった。とりかえしのつかない損失を被《こうむ》ったような気がして、しばらくはその前の道を行くたびに胸が痛んだ。

新しい家々が建ち始め、新しい夏を迎える頃、私はようやく、だんだんにこの事態に慣れてきた。そして夢想した。新しい家の、新しい庭に、ある夏突然、白い露草が現れる。たとえば若い奥さんが洗濯物を干しているとき。子どもが三輪車で遊んでいるとき。そのとき、その家の人たちは、それが珍しい白い露草だと、わかってくれるだろうか。どうして突然、そんなものが現れたのだと訝《いぶか》るだろうか。私の夢想は続く。その人たちは、誰かこのわけを教えてくれませんか、と「問い」を立てる。そこで私はおずおずと出ていって語るのだ。あなた方の住んでいる土地は、灌木《かんぼく》の茂みと、栗《くり》の木と、立派な櫟《くぬぎ》の木の生えていた、野原だったのだ、と。その土地はかつて、ススキの穂並みがそよぎ、甘い栗の花が匂《にお》い、白い露草の咲いていた土地だったのだと。風が木々の葉をささやかせ、雨が草木を恍惚《こうこつ》とさせた。山から吹き下ろす風や、盆地から抜けてゆく風、土地の傾く方角、様々な条件が、白い露草にその場所を選ばせた。そして何代も何代も繰り返し、そこに根を張ってきた。あなたがたが毎晩眠り、夢を見て、そして笑い合い愛し合っている場所は、そういう毎日を育《はぐく》んできた土地なのだ、どうか誇りに思ってください、と。

犬と散歩をしながら、そういうことを夢想し、そして私はそれが私の本当にしたい仕事なのだと切実に思った。

物語を語りたい。

そこに人が存在する、その大地の由来を。

解説

最相葉月

この数年、私は、ヒトゲノムや再生医療を中心とする生命科学の分野で取材をしてきた。将来、病になることを予測したり、受精卵を材料にして病を治したり、他人の生殖細胞を使って新たな命を生み出したりといった、人が生きていくにおいて、大切な何かを根底から揺さぶるような科学技術の動向を前にして、それを受け入れる、あるいは拒絶する社会や人の心のありようをなんとか言葉にしたいと試行錯誤していた。

そんなとき、ある人に薦められて手にとったのが、梨木香歩さんの『沼地のある森を抜けて』だった。それは、化学メーカーの研究室で働く主人公の久美が時子叔母から受け継いだ形見の「先祖伝来のぬか床」をめぐって繰り広げられる生命の物語だった。ぬか床から次々と現れる奇妙な卵や、サイドストーリーとして置かれた物語の中の「僕」が植物細胞のように語り始めたことにはじめはとまどいを覚えたが、どうやらその存在たちが、交通事故で亡《な》くなったと聞かされている久美の両親の死の真相と関係があるらしいと気づいてからは、ぬか床を一族の故郷にある沼に返そうとする久美の旅から目が離せなくなっていた。そして、並行するふたつの物語が、かつて宇宙でたった一つだった細胞の記憶――孤独に到り着いたとき、感動のあまり涙があふれてきてしかたがなかった。「感動」という言葉は昨今あまりにも氾濫《はんらん》しているので使いたくないのだが、ほかに言葉が見つからない。活動の場は違うかもしれないけれど、同じ時代にこんなふうに性や生殖をとらえ、生命の讃歌を歌いあげる人がいるのかと、圧倒され、勇気を得た気がした。

ある生物学者の言葉が思い出された。人間の病気のモデルとして薬の開発試験などで使われる遺伝子操作マウスづくりに携わる、還暦を過ぎてなお現役の研究者である。曰《いわ》く、「毎日のように電子顕微鏡で観察していると、細胞がモノだなんてどうしても思えない。人でも動物でもバクテリアでも同じ。何十億年もの時を経て今ここにあることの奇跡を感じる。それこそが生命の尊さではないか」。

あとで知ったことには、梨木さんはこの物語を書くときに、植物学者、塚谷《つかや》裕一《ひろかず》著『植物のこころ』などの著作に触発されたり、白神山地の酵母を採集している研究所へも取材に出かけたりしたという。私は、科学的事実に対する真摯《しんし》な姿勢に打たれると共に、透徹した科学的思考と生命に対する畏怖《いふ》の念をもつ梨木香歩という作家が送り出す物語をこれからもずっと読んでいきたいと強く思った。そして、これほど美しい物語をつくる梨木香歩さんとはいったいどんな人なのだろうと興味を抱いた。めったにインタビューは受けない方であるし、顔写真も公開されていない。「作者のイメージにとらわれず、自由な発想で読んでほしい」という思いからであるという。となるとますます探りを入れたくなるのがノンフィクションの書き手の性《さが》なのだが、そんなことはご本人はもちろんのこと、梨木さんの読者にお許しいただけまい。すでに作家自身が発表している著作を手がかりにするしかないだろう。

昭和三十四年、鹿児島生まれであること、英国に留学し、児童文学作家のベティ・モーガン・ボーエンに師事したことが、かろうじて彩《いろど》りを感じさせてくれるプロフィールである。といっても、残念ながらベティ・モーガン・ボーエンは日本では翻訳されていない。梨木さんの初めての随筆集『春になったら苺を摘みに』に登場するウェスト夫人がその人と知り読み進めたところ、梨木さんが学生時代に英国で世話になったエセックス州S・ワーデンの下宿の女主人であり、敬虔《けいけん》なクェーカー教徒であることがわかった。

梨木さんの作品に貫かれる、「日常を深く生き抜く、ということは、そもそもどこまで可能なのか」「価値観や倫理観が違う人間同士の間でどこまで共感が育《はぐく》ち得るか」という問いかけは、幼いころから梨木さんの中で育まれた繊細な感受性と、人種も宗教も考え方も異なる下宿人（出所したての殺人犯がいたこともあったそうだ）が集まる鍵《かぎ》のないオープンな下宿での暮らし、そして、「理解はできないが受け容《い》れる」という深く大きな心をもつウェスト夫人の魂とが、互いに感応し合う中から発せられたものだったと知った。

『沼地のある森を抜けて』誕生前夜の思索の日々ともいえる本書『ぐるりのこと』は、さらに、梨木さんの物語の背景に近づく手がかりを与えてくれた。それは、個人が「個人の生」を生きながら、同時に「時代の生」をも生きなければならないことのむずかしさを、ニュースや梨木さん自身の身の回りの出来事を挙げながら、丁寧に解きほぐし、今と異なる新たな段階へと思考を進め、世界に心を開いていこうとする試みだった。

たとえば、長崎の幼児殺害事件が起こったとき。十二歳の子が四歳の子を殺《あや》めたという事実に誰もが言葉を失ったが、梨木さんは、とりわけ児童文学に関わってきた者として（自分でもそのような「使命感」をもっていたことは思いがけないものだったそうだが）、悲しみと無力感に襲われた。教育委員会や学校や政治家の上すべりなコメントを聞き、「世の中が、個人に、『関わって』いない」と感じ、この「リアルな『感覚』の不在」は何故かと考えた。普通であれば、こうした現実の生々しい事件を取り上げれば時事的な記述に終始するところを梨木さんはそうはしない。幼いころから忘れられないでいるネムノキの絵本の話と、腐葉土の積もる森の道を歩きながら大地の循環に思いをはせた時間（酵母の調査をしているときだった）から書き起こし、人の個性を育むはずの大地と社会への信頼が崩れたとき、そこで生きていかねばならない子どもたちはどうなるのかと問うた。思考はそこで止まることなく、広島の平和記念公園の千羽鶴が観光中の大学生によって焼かれたときに、思わず梨木さんがとった行動へとつながっていく。外国旅行にいつも携えている折り紙が家にあったため、梨木さんはそれを取りだして黙々と鶴を折り始めたのだ。

「抱えていた空しさも、悲しみも、ただ黙々と引き受けて、ひたすら違う次元の扉を開こうとする、祈りの力のようなものが、自分を動かしているように感じられた。原爆で犠牲になった人々への鎮魂、長崎の事件の被害者S君への思い、加害者の少年の魂のために、それから、折り鶴を焼いた若者に代表される社会の空気のために。それは、単に可哀想《かわいそう》とか気の毒に、とかいうレベルではなく、何か全体の変容、別の次元への移行、彼らのために、そして彼らを含む、何かもっと大きい全体性のようなものへ開かれてゆくような感覚だった。

それまで千羽鶴を折ったことのない私には、それは初めての体験だった。『切れる』若者がいるのなら、しようがないなあ、と、社会のどこかが『繋いで』ゆけばいい、そういう気分が働き始めた。一万羽も集まればいいだろうな、と思っていたら、同じ様なことを、日本中のあちこちで始めていた人がいたのだろう、平和記念式典当日までには全国からその大学へ折り鶴が届けられた。

結局、総数は三十万羽を越したという。」

梨木さんは、人と人との間に共感の輪が広がっていくための手だてとして、言葉ではなく、草むしりや料理や折り鶴のような手作業に希望を見出《みいだ》す。染織や機織《はたお》りを通じて四人の女性たちが互いの絆《きずな》を揺るぎないものとしていく、『からくりからくさ』の作者ならではの視点であろう。

9・11以降の世界を語るに際しても、梨木さんは、大上段にふりかぶることはない。始まりは、生垣に隠れて外を眺めているのが好きだった日々である。英国固有の生垣に高度な生態系をもつものがあることを私は本書で初めて知ったが、さらに驚いたのは、梨木さんが垣根職人の見習いに応募したくてナショナルトラストの会員にまでなったということだ。生垣の内側から梨木さんの視点が次にどこへ向かうかといえば、イスラムの女性たちが被《かぶ》るヘジャーブの内側である。政教分離が徹底する先進諸国から抑圧の徴《しるし》と批判されるヘジャーブであるが、本当に彼女たちは「纏《まと》わせられている」のかと梨木さんは問い、ヘジャーブは外界と自分を区別するアイデンティティの強烈な主張だと説くムスリム日本女性の手記に目を留める。梨木さんの思考はそこでも途切れず、ヘジャーブの内側から、故郷の還来《もどろき》神社へ帰りたいと願った藤原の旅子さんの人生へ飛び、さらに、車のラジオから飛び込んできた、米上下両院の対イラク武力行使決議案可決のニュースへと、移っていく。

はっとさせられたのは、世界の対立関係についての記述である。今の世は、かつての冷戦時代の米ソ関係や、ブッシュ対悪の枢軸《すうじく》国家といったわかりやすい対立関係にあるのではなく、「直線的でスピード感の強い動的な動き」（有刺鉄線的なもの）と「進歩ということがそもそも念頭にない前近代的ともいえる静かでわかりにくい諸々《もろもろ》で構成されたムーブメント」（生垣的なもの）という、これまで個人や集団のなかで入り交じりクリアではなかったもの、善か悪か、是か否か、などとは判断できなかったはずのものが先鋭的に問いたてられ、境界が際立《きわだ》たせられている、そんな時代ではないか、と梨木さんは書くのである。それまで私自身も漠然と感じていてうまく言葉にできなかったことを見事にいい当てられたようで、作家の想像力と言葉に対する鋭敏さに舌を巻いた。机上ではなく、生垣の中に隠れた経験をもつ人のリアルな喩《たと》えだと思えた。

話題が次々と転換するため、あらすじを書こうとすると振り回されているような気分になる。そもそもあらすじをまとめようとすること自体が無謀なのである。梨木さんはあくまでも意識的に、果敢に、大変なエネルギーを要する思考運動を休みなく続けているのだから。鳥瞰図《ちょうかん》を読んでいるような錯覚にたびたび襲われたが、それは、梨木さんがカヤックを趣味としていることや、「渡りの足跡」（「考える人」連載）と題し、北方へ帰る鳥たちに会う旅を続けていることと関係があるだろうか。

経験者に聞いたところによると、カヤックに乗ると下半身が水面より下に沈むため、想像するよりはるかに水面が近く感じられるという。人間の視線ではなく、水鳥の視線に近い。フランス人監督ジャック・ペランの「WATARIDORI」（二〇〇一）というドキュメンタリー映画があった。カメラマンや科学者らは、鳥たちが脅えぬよう、彼らがまだ卵の段階から自分たちの声や超軽量航空機の音を聴かせ、生まれた瞬間からは姿を見せてあらかじめインプリント（刻印づけ）しておいてから渡りの旅に同行した。そのため、群れの一員となり、鳥の視線から撮影することができたという。天空から大地を俯瞰《ふかん》していたかと思うと水面ぎりぎりに泳ぐ餌《えさ》を狙《ねら》って急降下する。餌をついばんだと思う間もなく、再び急上昇していく。観客にとっても、まるで鳥になった気がした——のは新鮮な驚きだった。油の浮いた海に浮かぶ水鳥の姿など、人間側の視線から捉《とら》えた映像もところどころで挟み込まれるが、だからなおさら、さっきまで鳥だと思っていた自分は人間だったと気づかされる。ただし、改めて人間であることに気づいた自分は、鳥の視線を経験していなかったころの自分とは明らかに異なる自分になっている。

梨木さんは、加藤幸子著『ジーンとともに』を挙げ、鳥の視線になることが可能かと問うている。『ぐるりのこと』を読み進めながら私が感じたのは、梨木さんは、この連載（本書は「考える人」に連載された）を書き進める過程で早くも、対象に近づいたり遠ざかったりする思考運動を繰り返しながら、「他者の視点を、皮膚一枚下の自分の内で同時進行形で起きている世界として、客観的に捉えていく感覚を、意識的なわざとして自分のものにする」訓練をされているのだな、ということだった。身の回りと世界、「個人の生」と「時代の生」をいかに往来するか。梨木さんの、静かだけれども激しい思考運動は、「自分の境界はしっかりと保持したままで、違う次元の扉を開いてゆく」ために、とられるべくしてとられた手法だったのだろう。

植物の側に立ち人間の生命の尊さを語った『沼地のある森を抜けて』は、そのような思考運動の果てに生み出された物語だったのだ。物語が完成するまで四年を費したと聞くが、梨木香歩という作家の姿を植物たちにインプリントさせるために要した時間だったのかもしれない。まるで植物細胞になった気がした――、それは、いまだかつて経験したことのない、私自身の細胞がひとつひとつ目を覚まし、息を吹き返すような感覚だった。

本書のタイトル『ぐるりのこと』は、茸《きのこ》の観察会の指導者だった吉見昭一さんの「最近の子どもたちは身の回りのことに興味を持たなくなった。こういう菌糸類は身の回りに沢山あります。自分のぐるりのことにもっと目を向けてほしい」という言葉を継ぐかたちでつけられたという。

ぐるりから、世界に心を開く――。思えば、梨木さんはずっと、そのことを物語にしてきたのかもしれない。初期の物語に、中学に通えなくなった少女まいが、大好きなおばあちゃんのもとで魔女の手ほどきを受ける『西の魔女が死んだ』がある。炊事や洗濯などの家事を手伝いながら、まいは、おばあちゃんの魂に導かれ、生のすぐとなりにある死をあたたかな気持ちで迎えられるまでに成長する。

「悪魔を防ぐためにも、魔女になるためにも、いちばん大切なのは、意志の力。自分で決める力、自分で決めたことをやり遂《と》げる力です。その力が強くなれば、悪魔もそう簡単にはとりつきませんよ」

まいがおばあちゃんから受け取ったものは、庭から世界に踏み出していくまいの人生を支える、精神の柱だった。

百年前の日本人留学生、村田がトルコで過ごした日々を描いた『村田エフェンディ滞土録』においても、梨木さんは、国籍や民族、主義主張の壁を超えて築かれる友情の尊さを問うた。病床に伏す日本人のために醬油《しょうゆ》を調達した下宿仲間のギリシア人ディミトリが、照れくさそうに村田に呟《つぶや》いた古代ローマの戯作家の言葉「私は人間だ。およそ人間に関わることで、私に無縁なことは一つもない」は、梨木さんの創作姿勢そのものではないか。

亡くなった親友の家を預かる『家守綺譚』の綿貫征四郎は、現実界にありながら、異界からの神出鬼没の「気」たちと心を通わせられる、まさに、開かれた人であった。絵本においても、変わりない。短くわかりやすい物語にしなければならないからこそ、大切なことを、研ぎ澄まされた角度から明晰《めいせき》な文で伝えようとしている。『蟹塚《かにづか》縁起』では、魂の輪廻《りんね》を。『ペンキや』では、人と人の変わらぬ愛を。『ワニ』では、世界の厳しい掟《おきて》を。

……梨木さんの中には、いったいどれだけの数の物語が流れているのだろう。

生まれたとき、動物にもモノにも人にも、互いに隔たりはなかった。それぞれの時間のなかで、境界は取り付けられた。その境界を乗り越えるはたらきが、物語にはある。梨木さんは、その物語をつかむために今日も旅に出るのだろう。折り紙を携えて。

「言葉という素材を使って、光の照射角度や見る位置によって様々な模様や色が浮かび上がる、物語という一枚の布を織り上げることが、自分の仕事だと思っている。ただ作品だけを出してゆく、そういう職人でありたいと思う。」

『ぐるりのこと』の単行本は、書名と著者名以外には何もない、真っ白な装幀《そうてい》だった。物語に生きることを心に決めた作家、梨木香歩の、誓いの証《あかし》と思えた。

（二〇〇七年五月、ノンフィクションライター）

この作品は二〇〇四年十二月新潮社より刊行された。

ぐるりのこと

新潮文庫　な－37－8

平成十九年七月一日発行

著者　梨《なし》木《き》香《か》歩《ほ》

発行者　佐藤隆信

発行所　株式会社新潮社

郵便番号　一六二―八七一一
東京都新宿区矢来町七一
電話　編集部(〇三)三二六六―五四四〇
　　　読者係(〇三)三二六六―五一一一
http://www.shinchosha.co.jp

価格はカバーに表示してあります。

乱丁・落丁本は、ご面倒ですが小社読者係宛ご送付ください。送料小社負担にてお取替えいたします。

印刷・大日本印刷株式会社　製本・株式会社大進堂

ISBN978-4-10-125338-1 C0195